KB086378

하루 10분 서술형 / 문장제 학습지

수학 독해

B4
길이와 시간

초2~초3

Creative to Math
씨투엠

씨투엠

수학독해 : 수학을 스스로 읽고 해결하다

객관식이나 간단한 단답형 문제는 자신 있는데 긴 문장이나 풀이 과정을 쓰라는 문제는 어려워하는 아이들이 있어요. 빠르고 정확하게 연산하고 교과 응용문제까지도 곧잘 풀어내지만, 문제 속 상황이 약간만 복잡해지면 문제를 풀려고도 하지 않는 아이들도 많아요. 이러한 아이들에게 부족한 것은 연산 능력이나 문제 해결력보다는 독해력과 표현력입니다. 특히 수학적 텍스트를 이해하고 표현하는 능력, 즉 수학 독해력이지요.

요즘 아이들의 독해력이 약해진 가장 큰 이유는 과거에 비해 이야기를 만나는 방식이 다양해졌기 때문이에요. 예전에는 대부분 말이나 글로써만 이야기를 접했어요. 텍스트 위주로 여러 가지 사건을 간접 체험하고, 머릿 속으로 상황을 그려내는 훈련이 자연스럽게 이루어졌지요. 반면 요즘 아이들은 글보다도 TV나 스마트폰 등 영상매체에 훨씬 빨리, 자주 노출되기에 글을 통해 상상을 할 필요가 점점 없어지게 되었습니다.

그렇다고 아이들에게 어렸을 때부터 영화나 애니메이션을 못 보게 하고 책만 읽게 하는 것은 바람직하지 않고, 가능하지도 않아요. 시각 매체는 그 자체로 많은 장점이 있기 때문에 지금의 아이들은 예전 세대에 비해 이미지에 대한 이해력과 적용력이 매우 뛰어나답니다. 문제는 아직까지 모든 학습과 평가 방식이 여전히 텍스트 위주이기 때문에 지금도 아이들에게 독해력이 중요하다는 점이에요. 그래서 저희는 영상 매체에는 익숙하지만 말이나 글에는 약한 아이들을 위한 새로운 수학 독해력 향상 프로그램인 씨투엠 수학독해를 기획하게 되었어요.

씨투엠 수학독해는 기존 문장제/서술형 교재들보다 더욱 쉽고 간단한 학습법을 보여주려 해요. 문제에 있는 문장과 표현 하나하나마다 따로 접근하여 아이들이 어려워하는 포인트를 찾고, 각 포인트마다 직관적인 활동을 통해 독해력과 표현력을 차근차근 끌어올리려고 합니다. 또한 문제 이해와 풀이 서술 과정을 단계별로 세세하게 나누어 문장제, 서술형 문제를 부담 없이 체계적으로 연습할 수 있어요. 새로운 문장제 학습법인 씨투엠 수학독해가 문장제 문제에 특히 어려움을 겪고 있거나 앞으로 서술형 문제를 좀 더 잘 대비하고 싶은 아이들에게 큰 도움이 될 것이라 자신합니다.

수학독해의 구성과 특징

- 매일 부담없이 2쪽씩, 하루 10분 문장제 학습
- 매주 5일간 단계별 활동, 6일차는 중요 문장제 확인학습
- 5회분의 진단평가로 테스트 및 복습

주차별 구성

일일학습

꼬마 수학자들의
간단한 팁과 함께
매일 새롭게 만나는
단계별 문장제 활동

확인학습

중요 문장제 활동을
다시 한번 확인하며
주차 학습 마무리

1주차	1일	2일	3일	4일	5일	확인학습
	6쪽 ~ 7쪽	8쪽 ~ 9쪽	10쪽 ~ 11쪽	12쪽 ~ 13쪽	14쪽 ~ 15쪽	16쪽 ~ 18쪽

2주차	1일	2일	3일	4일	5일	확인학습
	20쪽 ~ 21쪽	22쪽 ~ 23쪽	24쪽 ~ 25쪽	26쪽 ~ 27쪽	28쪽 ~ 29쪽	30쪽 ~ 32쪽

3주차	1일	2일	3일	4일	5일	확인학습
	34쪽 ~ 35쪽	36쪽 ~ 37쪽	38쪽 ~ 39쪽	40쪽 ~ 41쪽	42쪽 ~ 43쪽	44쪽 ~ 46쪽

4주차	1일	2일	3일	4일	5일	확인학습
	48쪽 ~ 49쪽	50쪽 ~ 51쪽	52쪽 ~ 53쪽	54쪽 ~ 55쪽	56쪽 ~ 57쪽	58쪽 ~ 60쪽

진단평가 구성

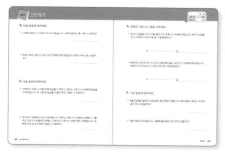

진단평가

4주 간의 문장제 학습에서 부족한 부분을
확인하고 복습하기 위한 자가 진단 테스트

진단평가	1회	2회	3회	4회	5회
	62쪽 ~ 63쪽	64쪽 ~ 65쪽	66쪽 ~ 67쪽	68쪽 ~ 69쪽	70쪽 ~ 71쪽

이 책의 차례

1주차

길이의 합과 차

✿ 밑줄 친 곳에 알맞은 수를 써넣으세요.

2 m는 ___200___ cm입니다.

1 m = 100 cm ➡ 2 m = 100 + 100 = 200(cm)

① 6 m는 _____ cm입니다.

② 500 cm는 _____ m입니다.

③ 3 m 70 cm는 _____ cm입니다.

④ 455 cm는 _____ m _____ cm입니다.

⑤ 1 m보다 59 cm 더 긴 길이는 _____ m _____ cm입니다.

⑥ 7 m보다 88 cm 더 긴 길이는 _____ cm입니다.

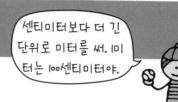

센티미터보다 더 긴 단위로 미터를 써. 1미터는 100센티미터야.

 다음 물음에 답하세요.

천장의 높이는 2 m보다 68 cm 더 높습니다. 천장의 높이는 몇 m 몇 cm일까요?

2 m 68 cm

① 세훈이의 키는 1 m 35 cm입니다. 세훈이의 키는 몇 cm일까요?

② 침대의 길이는 2 m보다 40 cm 더 깁니다. 침대의 길이는 몇 cm일까요?

③ 전봇대의 높이는 5 m보다 18 cm 더 높습니다. 전봇대의 높이는 몇 cm일까요?

④ 장대의 길이는 10 cm 자로 재면 47번입니다. 장대의 길이는 몇 m 몇 cm일까요?

🐞 밑줄 친 곳에 m 또는 cm를 써넣으세요.

연필의 길이는 약 15 **Cm** 입니다.

15 m짜리 연필은 너무 길잖아.

① 찬우의 키는 138 _____ 입니다.

② 바닥에서 천장까지의 높이는 약 3 _____ 입니다.

③ 운동장 한 바퀴의 둘레는 400 _____ 입니다.

④ 현관문의 높이는 215 _____ 입니다.

⑤ 지우개의 길이는 약 5 _____ 입니다.

⑥ 학교 정문에서 마트까지의 거리는 약 300 _____ 입니다.

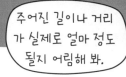

알맞은 길이를 골라 밑줄 친 곳에 써넣으세요.

120 m　　　　**1200 m**　　　　**12 m**

12 cm　　　　**1 m 20 cm**

운동장 긴 쪽의 길이는 약 ＿＿＿＿＿＿＿＿＿ 입니다.

① 자전거의 길이는 약 ＿＿＿＿＿＿＿＿＿ 입니다.

② 칫솔의 길이는 약 ＿＿＿＿＿＿＿＿＿ 입니다.

③ 공장 건물 굴뚝의 높이는 약 ＿＿＿＿＿＿＿＿＿ 입니다.

④ 호수 공원 산책길의 둘레는 약 ＿＿＿＿＿＿＿＿＿ 입니다.

🐝 두 막대의 길이의 합을 식을 써서 구하세요.

1 m 50 cm	2 m 35 cm

$$
\begin{array}{ccc}
& 1 \text{ m} & 50 \text{ cm} \\
+ & 2 \text{ m} & 35 \text{ cm} \\
\hline
& 3 \text{ m} & 85 \text{ cm}
\end{array}
$$

1 + 2 = 3   50 + 35 = 85

답 : __3 m 85 cm__

①

3 m 30 cm	2 m 50 cm

$$
\begin{array}{ccc}
& \boxed{} \text{ m} & \boxed{} \text{ cm} \\
+ & \boxed{} \text{ m} & \boxed{} \text{ cm} \\
\hline
& \boxed{} \text{ m} & \boxed{} \text{ cm}
\end{array}
$$

답 : _____

②

1 m 80 cm	4 m 15 cm

$$
\begin{array}{ccc}
& \boxed{} \text{ m} & \boxed{} \text{ cm} \\
+ & \boxed{} \text{ m} & \boxed{} \text{ cm} \\
\hline
& \boxed{} \text{ m} & \boxed{} \text{ cm}
\end{array}
$$

답 : _____

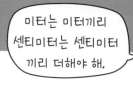

미터는 미터끼리 센티미터는 센티미터끼리 더해야 해.

🐝 알맞은 식을 쓰고 답을 구하세요.

현아의 키는 1 m 43 cm 이고, 정연이의 키는 1 m 32 cm 입니다. 두 사람의 키의 합은 몇 m 몇 cm일까요?

식 :

	1	m	43	cm
+	1	m	32	cm
	2	m	75	cm

답 : 2 m 75 cm

① 문구점에서 투명 테이프 325 cm와 청 테이프 270 cm를 샀습니다. 문구점에서 산 테이프는 모두 몇 m 몇 cm일까요?

식 : _____

답 : _____

② 벚나무의 높이는 3 m 48 cm이고, 미루나무의 높이는 벚나무의 높이보다 520 cm 더 높습니다. 미루나무의 높이는 몇 m 몇 cm일까요?

식 : _____

답 : _____

길이의 차

🎨 두 막대의 길이의 차를 식을 써서 구하세요.

2 m 95 cm	1 m 55 cm

$$
\begin{array}{c|c|c}
2 & m & 95 & cm \\
- \quad 1 & m & 55 & cm \\
\hline
1 & m & 40 & cm
\end{array}
$$

2 − 1 = 1   95 − 55 = 40

답 : __1 m 40 cm__

①

3 m 85 cm	2 m 40 cm

$$
\begin{array}{c|c|c}
\square & m & \square & cm \\
- \quad \square & m & \square & cm \\
\hline
\square & m & \square & cm
\end{array}
$$

답 : _____

②

2 m 10 cm	4 m 30 cm

$$
\begin{array}{c|c|c}
\square & m & \square & cm \\
- \quad \square & m & \square & cm \\
\hline
\square & m & \square & cm
\end{array}
$$

답 : _____

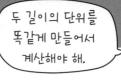
두 길이의 단위를
똑같게 만들어서
계산해야 해.

🎨 다음 물음에 답하세요.

4 m 85 cm

전봇대의 높이는 485 cm이고, 가로등의 높이는 2 m 70 cm입니다. 전봇대는 가로등보다 몇 m 몇 cm 더 높을까요?

식 :

	4	m	85	cm
−	2	m	70	cm
	2	m	15	cm

답 : __2 m 15 cm__

① 엄마의 키는 1 m 68 cm이고, 제니의 키는 엄마의 키보다 33 cm 더 작습니다. 제니의 키는 몇 m 몇 cm일까요?

식 :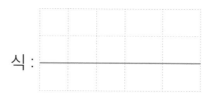

답 : _____

② 길이가 5 m 39 cm인 막대가 있었는데 1 m 17 cm를 잘라 썼습니다. 남은 막대의 길이는 몇 m 몇 cm일까요?

식 :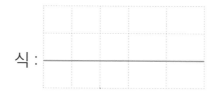

답 : _____

✿ 세 막대의 길이가 다음과 같습니다. 물음에 답하세요.

1 m 75 cm	245 cm

3 m 50 cm

세 막대 중 가장 짧은 막대의 길이는 몇 m 몇 cm일까요?

1 m 75 cm = 175 cm, 3 m 50 cm = 350 cm

$$1 \text{ m } 75 \text{ cm}$$

① 세 막대 중 둘째로 긴 막대의 길이는 몇 m 몇 cm일까요?

② 가장 긴 막대는 둘째로 긴 막대보다 몇 m 몇 cm 더 길까요?

③ 세 막대 중 하나를 빼고 나머지 두 막대의 길이의 합을 재어 보니 5 m 95 cm였습니다. 뺀 막대의 길이는 몇 m 몇 cm일까요?

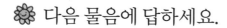

길이 덧셈식과 뺄셈식 중 어떤 것을 써야 할지 잘 따져 봐.

🌸 다음 물음에 답하세요.

길이가 각각 1 m 25 cm, 2 m 10 cm, 2 m 23 cm인 막대 3개를 서로 겹치지 않게 이어 붙였습니다. 이어 붙인 막대의 길이는 몇 m 몇 cm일까요?

1 m 25 cm + 2 m 10 cm = 3 m 35 cm
3 m 35 cm + 2 m 23 cm = 5 m 58 cm

답 : **5 m 58 cm**

① 높이가 2 m 40 cm인 버드나무가 1년 동안 133 cm 자랐고, 다음 1년 동안 1 m 6 cm 더 자랐습니다. 버드나무의 높이는 몇 m 몇 cm가 되었을까요?

답 : _____

② 길이가 6 m 78 cm인 색 테이프가 있습니다. 색 테이프 중 3 m 25 cm를 잘라 쓰고, 다시 2 m 11 cm를 잘라 썼습니다. 남은 색 테이프는 몇 m 몇 cm일까요?

답 : _____

✎ 다음 물음에 답하세요.

① 자동차의 길이는 3 m보다 85 cm 더 깁니다. 자동차의 길이는 몇 cm일까요?

_____

② 정우의 키는 142 cm입니다. 정우의 키는 몇 m 몇 cm일까요?

_____

✎ 알맞은 길이를 골라 밑줄 친 곳에 써넣으세요.

| **2 m 50 cm** | **25 cm** | **250 m** |

③ 운동장에 있는 감나무의 높이는 약 _____ 입니다.

④ 지아가 가진 필통의 길이는 약 _____ 입니다.

⑤ 부산으로 가는 고속 열차의 길이는 약 _____ 입니다.

✏️ 알맞은 식을 쓰고 답을 구하세요.

⑥ 연희는 굴렁쇠를 235 cm 굴린 후, 방향을 바꾸어서 5 m 10 cm 더 굴렸습니다. 연희가 굴렁쇠를 굴린 거리는 몇 m 몇 cm일까요?

식 : _____   답 : _____

⑦ 소나무의 높이는 4 m 10 cm이고, 미루나무의 높이는 9 m 51 cm입니다. 미루나무의 높이는 소나무의 높이보다 몇 m 몇 cm 더 높을까요?

식 : _____   답 : _____

⑧ 주환이는 멀리뛰기에서 1 m 25 cm를 뛰었고, 준우는 주환이보다 72 cm 더 멀리 뛰었습니다. 준우가 뛴 거리는 몇 m 몇 cm일까요?

식 : _____   답 : _____

✏️ 세 막대의 길이가 다음과 같습니다. 물음에 답하세요.

110 cm	3 m 25 cm

465 cm

⑨ 세 막대 중 가장 긴 막대의 길이는 몇 m 몇 cm일까요?

_____

⑩ 세 막대 중 가장 긴 막대와 가장 짧은 막대의 길이의 차는 몇 m 몇 cm일까요?

_____

⑪ 세 막대 중 가장 짧은 막대와 둘째로 긴 막대의 길이의 합은 몇 m 몇 cm일까요?

_____

⑫ 가장 긴 막대의 길이에서 나머지 두 막대의 길이의 합을 빼면 몇 cm일까요?

_____

2주차

시각과 시간(1)

✿ 시계를 보고 밑줄 친 곳에 알맞은 수를 써넣으세요.

1시

45분

짧은바늘은 ____1____ 과 ____2____ 사이에 있습니다.

긴바늘은 ____9____ 를 가리키고 있습니다.

시계가 나타내는 시각은 ____1____ 시 ____45____ 분입니다.

①

짧은바늘은 _____ 와 _____ 사이에 있습니다.

긴바늘은 _____ 을 가리키고 있습니다.

시계가 나타내는 시각은 _____ 시 _____ 분입니다.

②

짧은바늘은 _____ 와 _____ 사이에 있습니다.

긴바늘은 _____ 를 가리키고 있습니다.

시계가 나타내는 시각은 _____ 시 _____ 분입니다.

③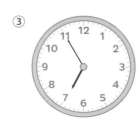

짧은바늘은 _____ 과 _____ 사이에 있습니다.

긴바늘은 _____ 을 가리키고 있습니다.

시계가 나타내는 시각은 _____ 시 _____ 분입니다.

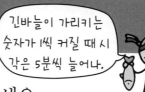

긴바늘이 가리키는 숫자가 1씩 커질 때 시각은 5분씩 늘어나.

🌸 시계를 보고 밑줄 친 곳에 알맞은 시각을 써넣으세요.

8시

25분

__8시 25분__ 에 학교에 도착했습니다.

①

_____ 에 저녁을 먹었습니다.

②

_____ 에 텔레비전을 보았습니다.

③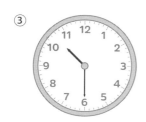

공원에 도착한 시각은 _____ 입니다.

④

친구와 만난 시각은 _____ 입니다.

시계를 보고 밑줄 친 곳에 알맞은 수를 써넣으세요.

시계가 나타내는 시각은 __11__ 시 __45__ 분입니다.

12시가 되려면 __15__ 분이 더 지나야 합니다.

이 시각은 __12__ 시 __15__ 분 전입니다.

①

시계가 나타내는 시각은 _____ 시 _____ 분입니다.

2시가 되려면 _____ 분이 더 지나야 합니다.

이 시각은 _____ 시 _____ 분 전입니다.

②

시계가 나타내는 시각은 _____ 시 _____ 분입니다.

8시가 되려면 _____ 분이 더 지나야 합니다.

이 시각은 _____ 시 _____ 분 전입니다.

③

시계가 나타내는 시각은 _____ 시 _____ 분입니다.

4시가 되려면 _____ 분이 더 지나야 합니다.

이 시각은 _____ 시 _____ 분 전입니다.

🎨 다음 물음에 답하세요.

민아는 아침 8시 5분 전에 일어났습니다. 민아가 일어난 시각은 몇 시 몇 분일까요?

5분 뒤에 8시가 되는 시각이야.

7시 55분

① 정후는 9시 10분 전에 학교에 도착했습니다. 정후가 학교에 도착한 시각은 몇 시 몇 분일까요?

_____

② 농장에 있는 닭이 새벽 5시 15분 전에 울었습니다. 닭이 운 시각은 몇 시 몇 분일까요?

_____

③ 농구 경기가 1시 15분 전에 시작했습니다. 농구 경기가 시작된 시각은 몇 시 몇 분일까요?

_____

④ 주아는 마트에 4시 5분 전에 도착했습니다. 주아가 마트에 도착한 시각은 몇 시 몇 분일까요?

_____

🐝 밑줄 친 곳에 알맞은 수를 써넣으세요.

3시간은 ___180___ 분입니다.

1시간 = 60분 → 3시간 = 60 + 60 + 60 = 180(분)

① 4시간은 _____ 분입니다.

② 120분은 _____ 시간입니다.

③ 2시간 30분은 _____ 분입니다.

④ 3시간 15분은 _____ 분입니다.

⑤ 100분은 _____ 시간 _____ 분입니다.

⑥ 235분은 _____ 시간 _____ 분입니다.

시각과 시각 사이의
간격을 시간이라고 해.
1시간은 60분이야.

🐝 다음 물음에 답하세요.

진구는 2시간 20분 동안 영화를 보았습니다. 진구가 영화를 본 시간은 몇 분일까요?

60 + 60 + 20 = 140(분)

140분

① 모래가 다 떨어지는 데 1시간 15분이 걸리는 모래시계가 있습니다. 모래시계의 모래가 다 떨어지는 데 걸리는 시간은 몇 분일까요?

② 세람이는 친구와 함께 155분 동안 쇼핑을 했습니다. 세람이가 쇼핑을 한 시간은 몇 시간 몇 분일까요?

③ 서울에서 대전까지 버스로 2시간 5분이 걸립니다. 서울에서 대전까지 버스로 걸리는 시간은 몇 분일까요?

④ 창주가 마라톤 대회에서 190분 동안 달렸습니다. 창주가 달린 시간은 몇 시간 몇 분일까요?

4일 하루의 시간

밑줄 친 곳에 알맞은 수를 써넣으세요.

2일은 _____48_____ 시간입니다.

1일 = 24시간 ➜ 2일 = 24 + 24 = 48(시간)

① 4일은 _____ 시간입니다.

② 72시간은 _____ 일입니다.

③ 3일 8시간은 _____ 시간입니다.

④ 1일 12시간은 _____ 시간입니다.

⑤ 45시간은 _____ 일 _____ 시간입니다.

⑥ 59시간은 _____ 일 _____ 시간입니다.

하루는 24시간이야.
정오를 기준으로 오전
과 오후로 나누어져.

🍥 다음 물음에 답하세요.

명우네 가족은 54시간 동안 캠핑을 다녀왔습니다. 명우네 가족이 캠핑을 다녀온 시간은 며칠 몇 시간일까요?

54 = 24 + 24 + 6 ➡ 2일 6시간

2일 6시간

① 수빈이가 수박씨를 심은 지 75시간이 지났습니다. 수빈이가 수박씨를 심은 시각은 며칠 몇 시간 전일까요?

② 심해에 사는 어떤 고래는 1일 10시간 동안 잠수할 수 있다고 합니다. 고래가 잠수할 수 있는 시간은 몇 시간일까요?

③ 비행기를 타고 지구를 한 바퀴 돌아오는 데 2일 15시간이 걸렸습니다. 지구를 한 바퀴 돌아오는 데 걸린 시간은 몇 시간일까요?

④ 80시간 전에 강아지가 태어났습니다. 강아지가 태어난 시각은 며칠 몇 시간 전일까요?

✿ 같은 날 오후의 시각입니다. 시간 순서대로 시각을 써넣으세요.

| 12시 30분 | 1시 45분 | 2시 25분 |

①

②

시각을 나타내는 수의 크기 순서로 시간 순서를 정하면 안 돼.

✿ 다음 물음에 답하세요.

마음이는 학교에 오전 9시 5분에 도착했고, 우상이는 오전 8시 45분에 도착했습니다. 마음이와 우상이 중 학교에 먼저 도착한 사람은 누구일까요?

우상이는 9시 전에 도착했고, 마음이는 9시가 지나서 도착했어.

우상

① 햇님반은 오후 3시 5분에 수업을 마쳤고, 달님반은 오후 3시 10분 전에 수업을 마쳤습니다. 두 반 중 수업을 더 늦게 마친 반은 어느 반일까요?

_____

② 1번 스쿨버스가 오후 12시 30분에 출발했고, 2번 스쿨버스가 오후 1시 15분 전에 출발했고, 3번 스쿨버스가 오후 1시 10분에 출발했습니다. 가장 늦게 출발한 스쿨버스는 몇 번일까요?

_____

③ 도준이는 월요일에 오전 6시 35분에 일어났고, 화요일에 오전 7시 5분 전에 일어났고, 수요일에 오전 6시 50분에 일어났습니다. 3일 중 도준이가 가장 일찍 일어난 날은 무슨 요일일까요?

_____

✎ 시계를 보고 밑줄 친 곳에 알맞은 시각을 써넣으세요.

①

미용실에 간 시각은 _____ 입니다.

②

_____ 에 강아지와 산책을 하였습니다.

✎ 다음 물음에 답하세요.

③ 자혜는 8시 15분 전에 시작하는 영화를 보러 갔습니다. 영화가 시작하는 시각은 몇 시 몇 분일까요?

_____

④ 공원에서 매일 3시 10분 전에 분수 공연을 시작합니다. 분수 공연이 시작되는 시각은 몇 시 몇 분일까요?

_____

✏️ 다음 물음에 답하세요.

⑤ 동우는 95분 동안 강아지 산책을 시켰습니다. 동우가 강아지 산책을 시킨 시간은 몇 시간 몇 분일까요?

_____

⑥ 관악산 정상까지 걸어서 2시간 45분이 걸렸습니다. 관악산 정상까지 걸어서 걸리는 시간은 몇 분일까요?

_____

✏️ 다음 물음에 답하세요.

⑦ 해상 구조 자격증을 따려면 52시간 동안 교육에 참석해야 합니다. 교육에 참석해야 하는 시간은 며칠 몇 시간일까요?

_____

⑧ 예진이는 소설책 전집을 다 읽는 데 3일 5시간이 걸렸습니다. 소설책 전집을 다 읽는 데 걸린 시간은 몇 시간일까요?

_____

✎ 다음 물음에 답하세요.

⑨ 광주로 가는 고속 열차는 오전 11시 25분에 출발했고, 부산으로 가는 고속 열차는 오후 1시 10분에 출발했습니다. 두 열차 중 늦게 출발한 것은 어디로 가는 열차일까요?

_____

⑩ 연희는 숙제를 오후 5시 55분에 끝냈고, 동건이는 오후 6시 15분 전에 끝냈습니다. 두 사람 중 숙제를 먼저 끝낸 사람은 누구일까요?

_____

⑪ 5월 1일에는 해가 오전 6시 5분 전에 떴고, 6월 1일에는 해가 오전 6시 15분 전에 떴고, 7월 1일에는 해가 오전 5시 40분에 떴습니다. 세 날 중 해가 가장 먼저 뜬 날은 몇 월 며칠일까요?

_____

⑫ 마라톤 대회에서 민진이는 오후 2시 35분에 골인하였고, 승혜는 오후 3시 15분 전에 골인하였고, 수련이는 오후 3시 10분에 골인하였습니다. 세 사람 중 가장 늦게 골인한 사람은 누구일까요?

_____

3주차

시각과 시간(2)

1일 시간의 합과 차

✿ 주어진 두 시간의 합과 차를 각각 구하세요.

1시간 10분	2시간 25분

	1 시간	10 분			2 시간	25 분
+	2 시간	25 분	−	1 시간	10 분
	3 시간	35 분			1 시간	15 분

1 + 2 = 3   10 + 25 = 35   2 − 1 = 1   25 − 10 = 15

①

4시간 35분	2시간 15분

	시간	분		시간	분
+	시간	분	−	시간	분
	시간	분		시간	분

②

3시간 5분	5시간 50분

	시간	분		시간	분
+	시간	분	−	시간	분
	시간	분		시간	분

시간의 합과 차를 구할 때는 시간과 분을 따로 계산해.

🌸 알맞은 식을 쓰고 답을 구하세요.

연담이는 1시간 40분짜리 코미디 영화를 본 후, 바로 이어서 2시간 10분짜리 만화 영화를 보았습니다. 연담이가 영화를 본 시간은 모두 몇 시간 몇 분일까요?

식 :

	1	시간	40	분
+	2	시간	10	분
	3	시간	50	분

답 : __3시간 50분__

① 고속 열차가 서울에서 대전까지 75분 걸렸고, 대전에서 부산까지 1시간 30분 걸렸습니다. 고속 열차가 서울에서 부산까지 걸린 시간은 몇 시간 몇 분일까요?

식 : 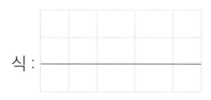   답 : _____

② 집에서 박물관까지 가는 데 걸리는 시간은 2시간 35분이고, 집에서 수영장까지 가는 데 걸리는 시간은 2시간 10분입니다. 박물관까지 가는 시간은 수영장까지 가는 시간보다 몇 분 더 걸릴까요?

식 : 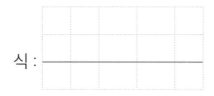   답 : _____

(시각)-(시각)=(시간)

🐾 두 시각 사이의 시간을 구하세요.

오후 3시 30분부터 오후 4시 50분까지의 시간은 몇 시간 몇 분일까요?

식 :

4	시	50	분
− 3	시	30	분
1	시간	20	분

4 − 3 = 1   50 − 30 = 20

답 : **1시간 20분**

① 오전 9시 15분부터 오전 11시 45분까지의 시간은 몇 시간 몇 분일까요?

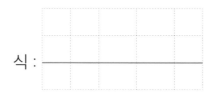

식 : _____   답 : _____

② 오후 5시부터 오후 8시 50분까지의 시간은 몇 시간 몇 분일까요?

식 : _____   답 : _____

어떤 두 시각 사이의 시간을 구하는 상황의 문제야.

알맞은 식을 쓰고 답을 구하세요.

우영이는 오후 5시 10분에 집을 나서서 산책을 하고, 오후 7시 20분에 집에 돌아왔습니다. 우영이가 산책을 한 시간은 몇 시간 몇 분일까요?

식 :

7	시	20	분
− 5	시	10	분
2	시간	10	분

답 : __2시간 10분__

① 선아는 자전거를 타고 집에서 오전 8시 35분에 출발하여 한강에 오전 10시 50분에 도착했습니다. 선아가 집에서 한강까지 걸린 시간은 몇 시간 몇 분일까요?

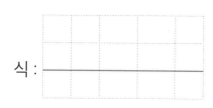

식 : _____   답 : _____

② 강아지가 오후 3시에 잠이 들어서 오후 6시 40분에 깼습니다. 강아지가 잠을 잔 시간은 몇 시간 몇 분일까요?

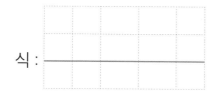

식 : _____   답 : _____

🐝 알맞은 식을 쓰고 시각을 구하세요.

오전 6시에서 3시간 40분 후의 시각은 오전 몇 시 몇 분일까요?

식 :

6	시		
+ 3	시간	40	분
9	시	40	분

6 + 3 = 9   0 + 40 = 40

답 : **9시 40분**

① 오후 1시 15분에서 2시간 10분 후의 시각은 오후 몇 시 몇 분일까요?

식 : 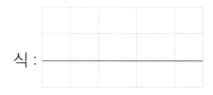   답 : _____

② 오후 7시 55분에서 4시간 후의 시각은 오후 몇 시 몇 분일까요?

식 : 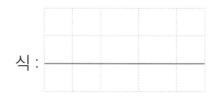   답 : _____

몇 시각에서 얼마의 시간이 흐른 시각을 구하는 거야.

🐝 알맞은 식을 쓰고 답을 구하세요.

동하는 오전 ⑦시 30분부터 수영을 시작해서 ①시간 10분 동안 수영을 했습니다.
동하가 수영을 끝낸 시각은 오전 몇 시 몇 분일까요?

식 :

	7	시	30	분
+	1	시간	10	분
	8	시	40	분

답 : 8시 40분

① 버스가 오후 2시 25분에 출발해서 2시간 30분 후에 목적지에 도착했습니다. 버스가 목적지에 도착한 시각은 오후 몇 시 몇 분일까요?

식 :

답 : _____

② 주하는 오후 4시에 학원에 가서 1시간 50분 동안 공부하고 학원을 나섰습니다. 주하가 학원을 나선 시각은 오후 몇 시 몇 분일까요?

식 :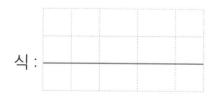

답 : _____

3주: 시각과 시간(2)   **39**

🦋 알맞은 식을 쓰고 시각을 구하세요.

오후 7시 45분에서 3시간 전의 시각은 오후 몇 시 몇 분일까요?

식 :

	7	시	45	분
−	3	시간		
	4	시	45	분

7 − 3 = 4   45 − 0 = 45

답 : 4시 45분

① 오전 11시 20분에서 1시간 15분 전의 시각은 오전 몇 시 몇 분일까요?

식 : _____

답 : _____

② 오후 5시 50분에서 4시간 30분 전의 시각은 오후 몇 시 몇 분일까요?

식 : _____

답 : _____

어떤 시각에서 얼마의 시간 전의 시각을 구하는 상황이지.

🎨 알맞은 식을 쓰고 답을 구하세요.

대전에서 서울로 가는 열차가 1시간 50분을 달려서 서울에 오후 4시 50분에 도착하였습니다. 열차가 대전에서 출발한 시각은 오후 몇 시 몇 분일까요?

식 :

	4	시	50	분
−	1	시간	50	분
	3	시		

답 : <u>3시</u>

① 양수가 목욕을 1시간 10분 동안 하고 오전 11시 20분에 목욕을 끝냈습니다. 양수가 목욕을 시작한 시각은 오전 몇 시 몇 분일까요?

식 : _____   답 : _____

② 기창이는 텔레비전을 2시간 동안 보고 오후 3시 5분에 텔레비전 시청을 끝냈습니다. 기창이가 텔레비전 시청을 시작한 시각은 오후 몇 시 몇 분일까요?

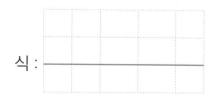

식 : _____   답 : _____

날짜와 시각

✿ 알맞은 식을 쓰고 시간을 구하세요.

희정이네 학교 학생들은 8월 2일 오전 9시부터 8월 4일 오전 11시까지 수련회를 다녀왔습니다. 학생들이 수련회를 다녀온 시간은 며칠 몇 시간일까요?

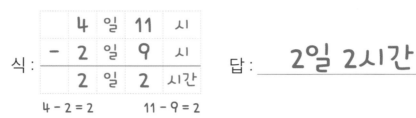

식 :

4	일	11	시
− 2	일	9	시
2	일	2	시간

4 − 2 = 2   11 − 9 = 2

답 : **2일 2시간**

① 영지네 가족은 1월 4일 오전 7시부터 1월 9일 오전 10시까지 여행을 다녀왔습니다. 영지네 가족이 여행을 다녀온 시간은 며칠 몇 시간일까요?

식 :    답 : _____

② 비행기가 4월 2일 오후 1시에 공항을 떠나서 4월 3일 오후 5시에 목적지에 도착하였습니다. 비행기가 비행한 시간은 몇 시간일까요?

식 :    답 : _____

🌸 알맞은 식을 쓰고 날짜와 시각을 구하세요.

민재는 11월 7일 오전 9시에 여행을 떠나서 26시간 후에 집에 돌아왔습니다. 민재가 집에 돌아온 날짜와 시각을 구하세요.

식 :

	7	일	9	시
+	1	일	2	시간
	8	일	11	시

26시간 = 1일 2시간

답 : **11월 8일 오전 11시**

① 명은이는 체험학습으로 2일 5시간 동안 집을 떠나있다가 5월 5일 오후 8시에 집에 돌아왔습니다. 명은이가 체험학습을 떠난 날짜와 시각을 구하세요.

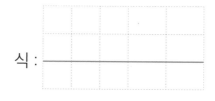

식 :

답 :

② 지원이의 동생은 1월 6일 오전 3시에 태어나 태어난 지 55시간 만에 출생 신고를 하였습니다. 출생 신고를 한 날짜와 시각을 구하세요.

식 :

답 :

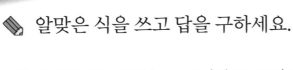

확인학습

✎ 알맞은 식을 쓰고 답을 구하세요.

① 숙제를 하는 데 경수는 3시간 30분이 걸렸고, 경현이는 85분이 걸렸습니다. 경수가 숙제를 하는 데 걸린 시간은 경현이보다 몇 시간 몇 분 더 걸렸을까요?

식 : _____ 답 : _____

② 학교에서 마트까지 걸어서 45분이 걸리고, 마트에서 집까지 걸어서 1시간 10분이 걸립니다. 학교에서 마트를 거쳐 집까지 걸어서 가는 데 걸리는 시간은 몇 시간 몇 분일까요?

식 : _____ 답 : _____

③ 우찬이는 토요일에 6시간 20분을 잤고, 일요일에 8시간 40분을 잤습니다. 우찬이가 일요일에 잔 시간은 토요일보다 몇 시간 몇 분 더 많을까요?

식 : _____ 답 : _____

✎ 알맞은 식을 쓰고 답을 구하세요.

④ 야구 경기가 오후 2시 10분에 시작하여 오후 5시 35분에 끝났습니다. 야구 경기를 한 시간은 몇 시간 몇 분일까요?

식 : _____   답 : _____

⑤ 공연장에서 아이돌 가수의 공연이 2시간 40분 동안 열려서 오후 8시 55분에 끝났습니다. 아이돌 가수의 공연이 시작된 시각은 오후 몇 시 몇 분일까요?

식 : _____   답 : _____

⑥ 은하는 오후 3시 20분에 수학 숙제를 시작해서 1시간 15분 만에 숙제를 끝냈습니다. 은하가 수학 숙제를 끝낸 시각은 오후 몇 시 몇 분일까요?

식 : _____   답 : _____

✏️ 알맞은 식을 쓰고 답을 구하세요.

⑦ 강아지가 3월 4일 오전 4시에 태어나서 3월 9일 오전 11시에 눈을 떴습니다. 강아지가 태어나서 눈을 뜨는 데까지 걸린 시간은 며칠 몇 시간일까요?

식 : _____ 답 : _____

⑧ 무역선이 항구를 떠난 지 5일 1시간만인 6월 11일 오후 4시에 항구로 돌아왔습니다. 무역선이 항구를 떠난 날짜와 시각을 구하세요.

식 : _____ 답 : _____

⑨ 명수네 가족은 9월 1일 오전 7시에 캠핑을 떠나서 26시간 후에 집에 돌아왔습니다. 명수네 가족이 집에 돌아온 날짜와 시각을 구하세요.

식 : _____ 답 : _____

4주차

달력

✿ 밑줄 친 곳에 알맞은 수를 써넣으세요.

3주일은 ___**21**___ 일입니다.

1주일 = 7일 ➜ 3주일 = 7 x 3 = 21(일)

① 4주일은 _____ 일입니다.

② 14일은 _____ 주일입니다.

③ 1주일 3일은 _____ 일입니다.

④ 3주일 4일은 _____ 일입니다.

⑤ 31일은 _____ 주일 _____ 일입니다.

⑥ 60일은 _____ 주일 _____ 일입니다.

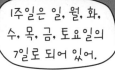1주일은 일, 월, 화, 수, 목, 금, 토요일의 7일로 되어 있어.

✿ 다음 물음에 답하세요.

아기 고양이가 태어난 지 30일이 지났습니다. 아기 고양이가 태어난 날은 몇 주일 며칠 전일까요?

30 = 7 + 7 + 7 + 7 + 2 ➔ 4주일 2일

4주일 2일

① 민주네 초등학교는 34일 동안 여름방학입니다. 민주네 초등학교의 여름 방학은 몇 주일 며칠일까요?

_____

② 유조선이 63일 동안 바다를 항해했습니다. 유조선이 바다를 항해한 기간은 몇 주일일까요?

_____

③ 우진이는 5주일 3일 뒤에 가족 여행을 갑니다. 우진이가 가족 여행을 가는 것은 며칠 뒤일까요?

_____

④ 미연이네 가족은 44일 전에 동네로 이사왔습니다. 미연이네 가족이 이사 온 것은 몇 주일 며칠 전일까요?

_____

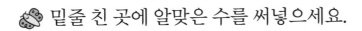 밑줄 친 곳에 알맞은 수를 써넣으세요.

3년은 ___**36**___ 개월입니다.

1년 = 12개월 ➡ 3년 = 12 + 12 + 12 = 36(개월)

① 5년은 _____ 개월입니다.

② 48개월은 _____ 년입니다.

③ 1년 6개월은 _____ 개월입니다.

④ 27개월은 _____ 년 _____ 개월입니다.

⑤ 날수가 28일 또는 29일인 달은 _____ 월입니다.

⑥ 날수가 30일인 달은 _____ 월, _____ 월, _____ 월, _____ 월입니다.

1년 중 1월, 3월, 5월, 7월, 8월, 10월, 12월은 31일까지 있어.

🍪 다음 물음에 답하세요.

태형이는 지금 살고 있는 아파트로 이사 온 지 38개월이 지났습니다. 태형이가 이사 온 것은 몇 년 몇 개월 전일까요?

38 = 12 + 12 + 12 + 2 ➜ 3년 2개월

3년 2개월

① 진우의 엄마는 2년 동안 적금을 넣었습니다. 진우의 엄마가 적금을 넣은 기간은 몇 개월일까요?

② 수아는 이번 달에 초등학교에 입학한 지 20개월이 되었습니다. 수아가 입학한 것은 몇 년 몇 개월 전일까요?

③ 초이의 삼촌은 3년 3개월 동안 세계 여행을 다녀왔습니다. 초이의 삼촌이 세계 여행을 다녀온 기간은 몇 개월일까요?

④ 미연이네 고양이 아토가 태어난 지 4년 5개월이 되었습니다. 아토가 태어난 것은 몇 개월 전일까요?

무슨 요일일까요?

🐝 어느 해 1월 달력의 일부입니다. 물음에 답하세요.

일	월	화	수	목	금	토
			1	2	3	4
5	6	7	8			

1월 9일은 무슨 요일일까요?

1월 8일이 수요일이니까 1월 9일은 목요일이야.

목요일

① 1월 8일에서 3주일 후는 무슨 요일일까요?

② 1월의 마지막 날은 무슨 요일일까요?

③ 1월에 일요일은 모두 몇 번 있을까요?

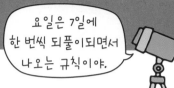

요일은 7일에 한 번씩 되풀이되면서 나오는 규칙이야.

다음 물음에 답하세요.

완구 박람회가 10월 13일 월요일부터 5일 동안 열립니다. 완구 박람회가 끝나는 날은 무슨 요일일까요?

13	14	15	16	17
월	화	수	목	금

<u>금요일</u>

① 5월 5일 어린이날은 일요일이고, 주완이의 생일은 어린이날에서 11일 후입니다. 주완이의 생일은 무슨 요일일까요?

_____

② 9월의 마지막 날은 화요일입니다. 9월에 수요일은 모두 몇 번 있을까요?

_____

③ 7월 1일은 수요일입니다. 7월에 금요일은 모두 몇 번 있을까요?

_____

🍪 어느 해 4월 달력의 일부입니다. 물음에 답하세요.

일	월	화	수	목	금	토
	1	2	3	4	5	6

4월의 첫째 일요일은 몇 월 며칠일까요?

4월 6일이 토요일이니까 4월 7일은 일요일이야.

4월 7일

① 4월 2일에서 10일 후는 몇 월 며칠일까요?

_____

② 4월 9일에서 2주일 후는 몇 월 며칠일까요?

_____

③ 4월의 마지막 수요일은 몇 월 며칠일까요?

_____

17일째 날은 1일째 날에서 16일 후야. 실수하기 쉬워.

 다음 물음에 답하세요.

진영이의 생일은 6월 6일 현충일에서 3주 후입니다. 진영이의 생일은 몇 월 며칠일까요?

6월 27일

① 광복절인 8월 15일은 월요일이고, 방학이 끝나는 날은 8월 마지막 일요일입니다. 방학이 끝나는 날은 몇 월 며칠일까요?

_____

② 1월 1일은 목요일입니다. 시은이와 세람이는 1월 셋째 금요일에 만나기로 했습니다. 시은이와 세람이가 만나는 날은 몇 월 며칠일까요?

_____

③ 가은이는 매일 피아노 학원에 다녔는데 3월 마지막 날이 피아노 학원에 다닌 지 17일째 되는 날입니다. 가은이가 피아노 학원에 다니기 시작한 날은 몇 월 며칠일까요?

_____

✿ 다음 물음에 답하세요.

제헌절인 7월 17일은 토요일입니다. 같은 해의 8월 15일 광복절은 무슨 요일일까요?

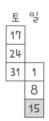

일요일

① 11월 1일은 일요일입니다. 지연이는 12월 5일에 친구들과 파티를 열기로 했습니다. 지연이가 파티를 여는 날은 무슨 요일일까요?

_____

② 7월 15일은 수아네 강아지가 태어난 지 40일째 되는 날입니다. 수아네 강아지가 태어난 날은 몇 월 며칠일까요?

_____

③ 어버이날인 5월 8일에서 25일 후는 엄마의 생신입니다. 엄마의 생신은 몇 월 며칠일까요?

_____

열 두 달이 각각 며칠까지 있는지 잘 생각하며 해결해야 해.

④ 어느 해 1월의 첫째 날은 수요일입니다. 같은 해 2월의 셋째 수요일은 몇 월 며칠일까요?

⑤ 여름 방학이 시작되는 날은 수요일이고, 37일 동안 방학이 이어집니다. 2학기가 시작되는 날은 무슨 요일일까요?

⑥ 4월 5일 식목일은 금요일입니다. 한경이의 생일은 5월 둘째 일요일입니다. 한경이의 생일은 몇 월 며칠일까요?

⑦ 오늘은 목요일입니다. 37일 전에 민수는 박물관에 갔습니다. 민수가 박물관에 간 날은 무슨 요일일까요?

✎ 다음 물음에 답하세요.

① 시경이가 친구들과 35일 동안 영화를 찍었습니다. 시경이가 영화를 찍은 기간은 몇 주일일까요?

_____

② 기혁이의 동생이 태어난 지 3주일 5일이 되었습니다. 기혁이의 동생이 태어난 것은 며칠 전일까요?

_____

✎ 다음 물음에 답하세요.

③ 수혁이는 태어난 지 60개월 만에 한글을 깨쳤습니다. 수혁이가 한글을 깨친 것은 태어난 지 몇 년 후일까요?

_____

④ 태양 주위를 5년 5개월마다 한 바퀴씩 도는 혜성이 있습니다. 이 혜성이 태양 주위를 한 바퀴 도는 데 걸리는 기간은 몇 개월일까요?

_____

✏️ 어느 해 8월 달력의 일부입니다. 물음에 답하세요.

일	월	화	수	목	금	토
1	**2**	**3**				

⑤ 8월 7일은 무슨 요일일까요?

_____

⑥ 광복절인 8월 15일에서 1주일 전은 몇 월 며칠일까요?

_____

⑦ 8월 3일에서 10일 후는 무슨 요일일까요?

_____

⑧ 같은 해 9월의 첫째 수요일은 몇 월 며칠일까요?

_____

✏️ 다음 물음에 답하세요.

⑨ 어느 해의 식목일인 4월 5일은 월요일입니다. 같은 해의 어린이날인 5월 5일은 무슨 요일일까요?

_____

⑩ 경진이는 매주 화요일과 목요일에 학원에 갑니다. 7월 23일 목요일은 경진이가 학원에 8번째 간 날입니다. 경진이가 학원에 처음 간 날은 몇 월 며칠일까요?

_____

⑪ 수일이의 생일은 화요일이고, 한영이의 생일은 수일이의 생일에서 36일 후입니다. 한영이의 생일은 무슨 요일일까요?

_____

⑫ 3월 6일은 토요일입니다. 수혁이는 4월 마지막 월요일에 수학 시험을 보기로 했습니다. 수혁이가 수학 시험을 보는 날은 몇 월 며칠일까요?

_____

진단평가

진단평가에는 앞에서 학습한 4주차의 문장제 활동이 순서대로 나옵니다. 잘못 푼 문제가 있으면 몇 주차인지 확인하여 반드시 한 번 더 복습해 봅니다.

1주차	3주차
2주차	4주차

✎ 다음 물음에 답하세요.

① 나무의 높이는 2 m보다 75 cm 더 높습니다. 나무의 높이는 몇 m 몇 cm 일까요?

_____

② 방의 너비는 길이가 100 cm인 막대로 재면 5번입니다. 방의 너비는 몇 cm일까요?

_____

✎ 다음 물음에 답하세요.

③ 지연이는 오후 1시 15분 전에 점심을 다 먹었고, 경아는 오후 12시 50분에 점심을 다 먹었습니다. 두 사람 중 점심을 더 빨리 먹은 사람은 누구일까요?

_____

④ 세 친구가 공원에서 만나기로 했습니다. 현우는 오후 3시 30분에 도착했고, 기흥이는 오후 3시 55분에 도착했고, 선빈이는 오후 4시 10분 전에 도착했습니다. 공원에 가장 늦게 도착한 사람은 누구일까요?

_____

✎ 알맞은 식을 쓰고 답을 구하세요.

⑤ 유라가 낮잠을 2시간 10분 동안 자고 오후 3시 30분에 깼습니다. 유라가 낮잠을 자기 시작한 시각은 오후 몇 시 몇 분일까요?

식 : ＿＿＿＿＿＿＿＿＿   답 : ＿＿＿＿＿＿＿

⑥ 태경이는 친구와 만나서 3시간 25분 동안 놀고 오전 11시 35분에 헤어졌습니다. 태경이가 친구와 만난 시각은 오전 몇 시 몇 분일까요?

식 : ＿＿＿＿＿＿＿＿＿   답 : ＿＿＿＿＿＿＿

✎ 다음 물음에 답하세요.

⑦ 8월 3일 월요일부터 20일 동안 해수욕장이 열립니다. 해수욕장이 열리는 마지막 날은 무슨 요일일까요?

＿＿＿＿＿＿＿

⑧ 4월 15일은 토요일입니다. 4월에 월요일은 모두 몇 번 있을까요?

＿＿＿＿＿＿＿

✎ 알맞은 길이를 골라 밑줄 친 곳에 써넣으세요.

| 1800 m | 1 m 80 cm | 18 m |

① 상가 건물의 높이는 약 _____ 입니다.

② 아빠의 키는 약 _____ 입니다.

③ 국립공원에 있는 산의 높이는 약 _____ 입니다.

✎ 시계를 보고 밑줄 친 곳에 알맞은 시각을 써넣으세요.

④

_____ 에 수학 공부를 했습니다.

⑤

잠자리에 든 시각은 _____ 입니다.

✎ 알맞은 식을 쓰고 답을 구하세요.

⑥ 상현이는 7월 7일 오후 2시부터 7월 9일 오후 8시까지 외갓집에 다녀왔습니다. 상현이가 외갓집에 다녀온 시간은 몇 시간일까요?

식 : _____   답 : _____

⑦ 4월 5일 오후 3시에 콩을 심었는데 53시간 뒤에 싹이 났습니다. 콩의 싹이 난 날짜와 시각을 구하세요.

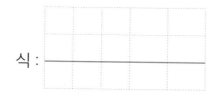

식 : _____   답 : _____

✎ 다음 물음에 답하세요.

⑧ 상우는 친구들과 크리스마스인 12월 25일에서 3주일 전에 만나기로 했습니다. 상우가 친구들과 만나는 날은 몇 월 며칠일까요?

_____

⑨ 6월의 마지막 날은 일요일입니다. 하연이는 6월의 셋째 토요일에 놀이 공원에 가기로 했습니다. 하연이가 놀이 공원에 가는 날은 몇 월 며칠일까요?

_____

✎ 알맞은 식을 쓰고 답을 구하세요.

① 초록색 테이프 173 cm와 노란색 테이프 3 m 5 cm를 서로 겹치지 않게 이어 붙이려고 합니다. 이어 붙인 테이프의 길이는 몇 m 몇 cm일까요?

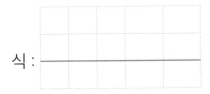

식 : _____ 　　답 : _____

② 식탁의 짧은 쪽 길이는 2 m 33 cm이고, 긴 쪽 길이는 짧은 쪽 길이보다 125cm가 더 깁니다. 식탁의 긴 쪽 길이는 몇 m 몇 cm일까요?

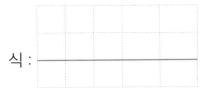

식 : _____ 　　답 : _____

✎ 다음 물음에 답하세요.

③ 오늘 저녁 7시 10분 전에 해가 졌습니다. 오늘 저녁 해가 진 시각은 몇 시 몇 분일까요?

_____

④ 가연이는 오후 2시 5분 전에 숙제를 끝냈습니다. 가연이가 숙제를 끝낸 시각은 몇 시 몇 분일까요?

_____

✎ 알맞은 식을 쓰고 답을 구하세요.

⑤ 하니는 숙제를 하는 데 1시간 25분이 걸렸고, 책을 읽는 데 2시간 20분이 걸렸습니다. 하니가 숙제와 독서를 하는 데 걸린 시간은 모두 몇 시간 몇 분일까요?

식 : _____   답 : _____

⑥ 야구 경기는 3시간 25분 걸렸고, 축구 경기는 130분 걸렸습니다. 야구 경기는 축구 경기보다 몇 시간 몇 분 더 걸렸을까요?

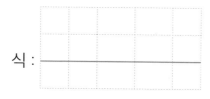

식 : _____   답 : _____

✎ 다음 물음에 답하세요.

⑦ 4월 30일 일요일은 로이네 가족이 이사 온 지 50일째 되는 날입니다. 로이네 가족이 이사 온 날은 무슨 요일일까요?

_____

⑧ 어느 해 11월의 셋째 금요일은 11월 18일입니다. 같은 해 12월의 마지막 월요일은 몇 월 며칠일까요?

_____

✎ 알맞은 식을 쓰고 답을 구하세요.

① 침대의 긴 쪽 길이는 2 m 59 cm이고, 짧은 쪽 길이는 긴 쪽 길이보다 53 cm 더 짧습니다. 침대의 짧은 쪽 길이는 몇 m 몇 cm일까요?

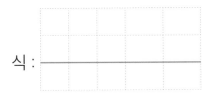

식 : _____   답 : _____

② 길이가 6 m 85 cm인 노끈 중 352 cm를 끊어 사용했습니다. 남은 노끈의 길이는 몇 m 몇 cm일까요?

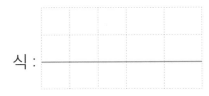

식 : _____   답 : _____

✎ 다음 물음에 답하세요.

③ 부산에서 서울까지 고속 열차로 2시간 30분이 걸립니다. 부산에서 서울까지 고속 열차로 걸리는 시간은 몇 분일까요?

_____

④ 오후에 비가 225분 동안 내렸습니다. 오후에 비가 내린 시간은 몇 시간 몇 분일까요?

_____

✎ 알맞은 식을 쓰고 답을 구하세요.

⑤ 수경이는 오전 6시 25분에 체육관에 가서 오전 7시 55분까지 운동을 합니다. 수
경이가 운동을 하는 시간은 몇 시간 몇 분일까요?

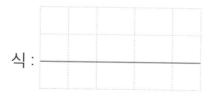

식 : _____   답 : _____

⑥ 애니메이션이 오후 7시 20분에 상영을 시작하여 오후 9시 35분에 끝났습니다. 애
니메이션이 상영된 시간은 몇 시간 몇 분일까요?

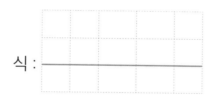

식 : _____   답 : _____

✎ 다음 물음에 답하세요.

⑦ 선생님이 방학 때 15일 동안 중국에 다녀왔다고 합니다. 선생님이 중국에 다녀온
기간은 몇 주일 며칠일까요?

_____

⑧ 호진이가 도형학습지 한 권을 2주일 5일 만에 다 풀었습니다. 호진이가 도형학습
지 한 권을 푸는 데 며칠이 걸렸을까요?

_____

진단평가

✎ 다음 물음에 답하세요.

① 세 변의 길이가 각각 1 m 30 cm, 2 m 12 cm, 3 m 24 cm인 삼각형 모양의 땅이 있습니다. 이 땅의 둘레는 몇 m 몇 cm일까요?

답 : _____

② 높이가 7 m 96 cm인 빙하가 있습니다. 이 빙하는 지구 온난화 때문에 매년 높이가 1 m 30 cm씩 낮아진다고 합니다. 2년 뒤에 이 빙하의 높이는 몇 m 몇 cm가 될까요?

답 : _____

✎ 다음 물음에 답하세요.

③ 무역선이 항구에 38시간째 정박해 있습니다. 무역선이 정박한 시간은 며칠 몇 시간일까요?

_____

④ 구현이네 학교 학생들은 2일 12시간 동안 수련회를 다녀왔습니다. 학생들이 수련회를 다녀온 시간은 몇 시간일까요?

_____

✎ 알맞은 식을 쓰고 답을 구하세요.

⑤ 마라톤 선수가 오전 10시 15분에 출발하여 2시간 35분을 달려서 골인 지점에 도착하였습니다. 이 선수가 골인 지점에 도착한 시각은 오후 몇 시 몇 분일까요?

식 :    답 : _____

⑥ 달이 오후 8시 45분에 떠올라서 2시간 10분 후에 가장 높이 떠올랐습니다. 달이 가장 높이 떠오른 시각은 오후 몇 시 몇 분일까요?

식 :    답 : _____

✎ 다음 물음에 답하세요.

⑦ 서연이의 오빠는 중학교를 3년 만에 졸업했습니다. 서연이의 오빠가 중학교를 졸업하는 데 걸린 기간은 몇 개월일까요?

_____

⑧ 가람이가 태권도 학원에 28개월 동안 다녔습니다. 가람이가 태권도 학원에 다닌 기간은 몇 년 몇 개월일까요?

_____

Memo

하루 10분 서술형 / 문장제 학습지

씨투엠

수학 독해

정답

B4

길이와 시간

초2~초3

Creative to Math
씨투엠

정답

B4 길이와 시간
초2~초3

길이의 합과 차

P 06 ~ 07

1일 미터와 센티미터

센티미터보다 더 긴 단위로 미터를 써. 미터는 100센티미터야.

✿ 밑줄 친 곳에 알맞은 수를 써넣으세요.

2 m는 __200__ cm입니다.
1 m = 100 cm → 2 m = 100 + 100 = 200(cm)

① 6 m는 __600__ cm입니다.

② 500 cm는 __5__ m입니다.

③ 3 m 70 cm는 __370__ cm입니다.

④ 455 cm는 __4__ m __55__ cm입니다.

⑤ 1 m보다 59 cm 더 긴 길이는 __1__ m __59__ cm입니다.

⑥ 7 m보다 88 cm 더 긴 길이는 __788__ cm입니다.

✿ 다음 물음에 답하세요.

천장의 높이는 2 m보다 68 cm 더 높습니다. 천장의 높이는 몇 m 몇 cm일까요?
__2 m 68 cm__

① 세훈이의 키는 1 m 35 cm입니다. 세훈이의 키는 몇 cm일까요?
__135 cm__

② 침대의 길이는 2 m보다 40 cm 더 깁니다. 침대의 길이는 몇 cm일까요?
__240 cm__

③ 전봇대의 높이는 5 m보다 18 cm 더 높습니다. 전봇대의 높이는 몇 cm일까요?
__518 cm__

④ 장대의 길이는 10 cm 자로 재면 47번입니다. 장대의 길이는 몇 m 몇 cm일까요?
__4 m 70 cm__

P 08 ~ 09

2일 길이 어림하기

주어진 길이나 거리가 실제로 얼마 정도 될지 어림해 봐.

✿ 밑줄 친 곳에 m 또는 cm를 써넣으세요.

연필의 길이는 약 15 __cm__ 입니다.
15 m짜리 연필은 너무 길잖아.

① 찬우의 키는 138 __cm__ 입니다.

② 바닥에서 천장까지의 높이는 약 3 __m__ 입니다.

③ 운동장 한 바퀴의 둘레는 400 __m__ 입니다.

④ 현관문의 높이는 215 __cm__ 입니다.

⑤ 지우개의 길이는 약 5 __cm__ 입니다.

⑥ 학교 정문에서 마트까지의 거리는 약 300 __m__ 입니다.

✿ 알맞은 길이를 골라 밑줄 친 곳에 써넣으세요.

| 120 m | 1200 m | 12 m |

| 12 cm | 1 m 20 cm |

운동장 긴 쪽의 길이는 약 __120m__ 입니다.

① 자전거의 길이는 약 __1 m 20 cm__ 입니다.

② 칫솔의 길이는 약 __12 cm__ 입니다.

③ 공장 건물 굴뚝의 높이는 약 __12 m__ 입니다.

④ 호수 공원 산책길의 둘레는 약 __1200m__ 입니다.

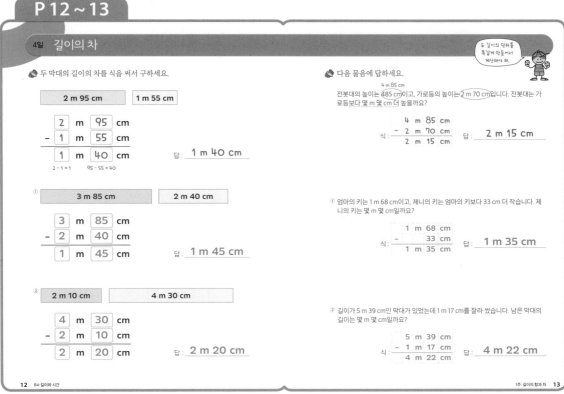

P 10 ~ 11

3일 길이의 합

미터는 미터끼리
센티미터는 센티미터
끼리 더해야 해.

🐝 두 막대의 길이의 합을 식을 써서 구하세요.

| 1 m 50 cm | 2 m 35 cm |

	1	m	50	cm
+	2	m	35	cm
	3	m	85	cm

1 + 2 = 3   50 + 35 = 85

답 : 3 m 85 cm

🐝 알맞은 식을 쓰고 답을 구하세요.

현아의 키는 1 m 43 cm이고, 정연이의 키는 1 m 32 cm입니다. 두 사람의 키의 합은 몇 m 몇 cm일까요?

식 :	1	m	43	cm
+	1	m	32	cm
	2	m	75	cm

답 : 2 m 75 cm

① | 3 m 30 cm | 2 m 50 cm |

	3	m	30	cm
+	2	m	50	cm
	5	m	80	cm

답 : 5 m 80 cm

① 문구점에서 투명 테이프 325 cm와 청 테이프 270 cm를 샀습니다. 문구점에서 산 테이프는 모두 몇 m 몇 cm일까요?

식 :	3	m	25	cm
+	2	m	70	cm
	5	m	95	cm

답 : 5 m 95 cm

② | 1 m 80 cm | 4 m 15 cm |

	1	m	80	cm
+	4	m	15	cm
	5	m	95	cm

답 : 5 m 95 cm

② 벚나무의 높이는 3 m 48 cm이고, 미루나무의 높이는 벚나무의 높이보다 520 cm 더 높습니다. 미루나무의 높이는 몇 m 몇 cm일까요?

식 :	3	m	48	cm
+	5	m	20	cm
	8	m	68	cm

답 : 8 m 68 cm

P 12 ~ 13

4일 길이의 차

두 길이의 단위를
똑같게 맞추어서
계산해야 해.

🐝 두 막대의 길이의 차를 식을 써서 구하세요.

| 2 m 95 cm | 1 m 55 cm |

	2	m	95	cm
−	1	m	55	cm
	1	m	40	cm

2 − 1 = 1   95 − 55 = 40

답 : 1 m 40 cm

🐝 다음 물음에 답하세요.

전봇대의 높이는 4 m 85 cm(485 cm)이고, 가로등의 높이는 2 m 70 cm입니다. 전봇대는 가로등보다 몇 m 몇 cm 더 높을까요?

식 :	4	m	85	cm
−	2	m	70	cm
	2	m	15	cm

답 : 2 m 15 cm

① | 3 m 85 cm | 2 m 40 cm |

	3	m	85	cm
−	2	m	40	cm
	1	m	45	cm

답 : 1 m 45 cm

① 엄마의 키는 1 m 68 cm이고, 제니의 키는 엄마의 키보다 33 cm 더 작습니다. 제니의 키는 몇 m 몇 cm일까요?

식 :	1	m	68	cm
−		m	33	cm
	1	m	35	cm

답 : 1 m 35 cm

② | 2 m 10 cm | 4 m 30 cm |

	4	m	30	cm
−	2	m	10	cm
	2	m	20	cm

답 : 2 m 20 cm

② 길이가 5 m 39 cm인 막대가 있었는데 1 m 17 cm를 잘라 썼습니다. 남은 막대의 길이는 몇 m 몇 cm일까요?

식 :	5	m	39	cm
−	1	m	17	cm
	4	m	22	cm

답 : 4 m 22 cm

5일 길이의 합과 차

길이 덧셈식과 뺄셈식 중 어떤 것을 써야 할지 잘 따져 봐.

❀ 세 막대의 길이가 다음과 같습니다. 물음에 답하세요.

| 1 m 75 cm | 245 cm |

| 3 m 50 cm |

세 막대 중 가장 짧은 막대의 길이는 몇 m 몇 cm일까요?

1 m 75 cm = 175 cm, 3 m 50 cm = 350 cm

1 m 75 cm

① 세 막대 중 둘째로 긴 막대의 길이는 몇 m 몇 cm일까요?

2 m 45 cm

② 가장 긴 막대는 둘째로 긴 막대보다 몇 m 몇 cm 더 길까요?

1 m 5 cm

③ 세 막대 중 하나를 빼고 나머지 두 막대의 길이의 합을 재어 보니 5 m 95 cm였습니다. 뺀 막대의 길이는 몇 m 몇 cm일까요?

1 m 75 cm

❀ 다음 물음에 답하세요.

길이가 각각 1 m 25 cm, 2 m 10 cm, 2 m 23 cm인 막대 3개를 서로 겹치지 않게 이어 붙였습니다. 이어 붙인 막대의 길이는 몇 m 몇 cm일까요?

1 m 25 cm + 2 m 10 cm = 3 m 35 cm
3 m 35 cm + 2 m 23 cm = 5 m 58 cm

답 : **5 m 58 cm**

① 높이가 2 m 40 cm인 버드나무가 1년 동안 133 cm 자랐고, 다음 1년 동안 1 m 6 cm 더 자랐습니다. 버드나무의 높이는 몇 m 몇 cm가 되었을까요?

답 : **4 m 79 cm**

② 길이가 6 m 78 cm인 색 테이프가 있습니다. 색 테이프 중 3 m 25 cm를 잘라 쓰고, 다시 2 m 11 cm를 잘라 썼습니다. 남은 색 테이프는 몇 m 몇 cm일까요?

답 : **1 m 42 cm**

확인학습

✏ 다음 물음에 답하세요.

① 자동차의 길이는 3 m보다 85 cm 더 깁니다. 자동차의 길이는 몇 cm일까요?

385 cm

② 정우의 키는 142 cm입니다. 정우의 키는 몇 m 몇 cm일까요?

1 m 42 cm

✏ 알맞은 길이를 골라 밑줄 친 곳에 써넣으세요.

| 2 m 50 cm | 25 cm | 250 m |

③ 운동장에 있는 감나무의 높이는 약 __2 m 50 cm__ 입니다.

④ 지아가 가진 필통의 길이는 약 __25 cm__ 입니다.

⑤ 부산으로 가는 고속 열차의 길이는 약 __250 m__ 입니다.

✏ 알맞은 식을 쓰고 답을 구하세요.

⑥ 연희는 굴렁쇠를 235 cm 굴린 후, 방향을 바꾸어서 5 m 10 cm 더 굴렸습니다. 연희가 굴렁쇠를 굴린 거리는 몇 m 몇 cm일까요?

식 :
```
   2 m 35 cm
+  5 m 10 cm
   7 m 45 cm
```
답 : **7 m 45 cm**

⑦ 소나무의 높이는 4 m 10 cm이고, 미루나무의 높이는 9 m 51 cm입니다. 미루나무의 높이는 소나무의 높이보다 몇 m 몇 cm 더 높을까요?

식 :
```
   9 m 51 cm
-  4 m 10 cm
   5 m 41 cm
```
답 : **5 m 41 cm**

⑧ 주환이는 멀리뛰기에서 1 m 25 cm를 뛰었고, 준우는 주환이보다 72 cm 더 멀리 뛰었습니다. 준우가 뛴 거리는 몇 m 몇 cm일까요?

식 :
```
   1 m 25 cm
+      72 cm
   1 m 97 cm
```
답 : **1 m 97 cm**

P 18

확인학습

🔖 세 막대의 길이가 다음과 같습니다. 물음에 답하세요.

110 cm	3 m 25 cm
465 cm	

⑨ 세 막대 중 가장 긴 막대의 길이는 몇 m 몇 cm일까요?

4 m 65 cm

⑩ 세 막대 중 가장 긴 막대와 가장 짧은 막대의 길이의 차는 몇 m 몇 cm일까요?

3 m 55 cm

⑪ 세 막대 중 가장 짧은 막대와 둘째로 긴 막대의 길이의 합은 몇 m 몇 cm일까요?

4 m 35 cm

⑫ 가장 긴 막대의 길이에서 나머지 두 막대의 길이의 합을 **빼면** 몇 cm일까요?

30 cm

시각과 시간(1)

2주

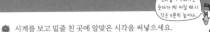

P 20 ~ 21

1일 몇 시 몇 분

시각을 나타내는 긴바늘이 가리키는 숫자가 1씩 커질 때 시간은 5분씩 늘어나요.

🌸 시계를 보고 밑줄 친 곳에 알맞은 수를 써넣으세요.

1시
45분
짧은바늘은 __1__ 과 __2__ 사이에 있습니다.
긴바늘은 __9__ 를 가리키고 있습니다.
시계가 나타내는 시각은 __1__ 시 __45__ 분입니다.

①
짧은바늘은 __4__ 와 __5__ 사이에 있습니다.
긴바늘은 __8__ 을 가리키고 있습니다.
시계가 나타내는 시각은 __4__ 시 __40__ 분입니다.

②
짧은바늘은 __2__ 와 __3__ 사이에 있습니다.
긴바늘은 __2__ 를 가리키고 있습니다.
시계가 나타내는 시각은 __2__ 시 __10__ 분입니다.

③
짧은바늘은 __6__ 과 __7__ 사이에 있습니다.
긴바늘은 __11__ 을 가리키고 있습니다.
시계가 나타내는 시각은 __6__ 시 __55__ 분입니다.

🌸 시계를 보고 밑줄 친 곳에 알맞은 시각을 써넣으세요.

8시
25분
__8시 25분__ 에 학교에 도착했습니다.

①
__5시 50분__ 에 저녁을 먹었습니다.

②
__7시 5분__ 에 텔레비전을 보았습니다.

③
공원에 도착한 시각은 __10시 30분__ 입니다.

④
친구와 만난 시각은 __3시 35분__ 입니다.

P 22 ~ 23

2일 몇 시 몇 분 전

시각을 나타내는 여러 가지 표현 방법을 알아두어야 해.

🌸 시계를 보고 밑줄 친 곳에 알맞은 수를 써넣으세요.

11시
45분
시계가 나타내는 시각은 __11__ 시 __45__ 분입니다.
12시가 되려면 __15__ 분이 더 지나야 합니다.
이 시각은 __12__ 시 __15__ 분 전입니다.

①
시계가 나타내는 시각은 __1__ 시 __50__ 분입니다.
2시가 되려면 __10__ 분이 더 지나야 합니다.
이 시각은 __2__ 시 __10__ 분 전입니다.

②
시계가 나타내는 시각은 __7__ 시 __55__ 분입니다.
8시가 되려면 __5__ 분이 더 지나야 합니다.
이 시각은 __8__ 시 __5__ 분 전입니다.

③
시계가 나타내는 시각은 __3__ 시 __45__ 분입니다.
4시가 되려면 __15__ 분이 더 지나야 합니다.
이 시각은 __4__ 시 __15__ 분 전입니다.

🌸 다음 물음에 답하세요.

민아는 아침 8시 5분 전에 일어났습니다. 민아가 일어난 시각은 몇 시 몇 분일까요?
5분 뒤에 8시가 되는 시각이야.
__7시 55분__

① 정후는 9시 10분 전에 학교에 도착했습니다. 정후가 학교에 도착한 시각은 몇 시 몇 분일까요?
__8시 50분__

② 농장에 있는 닭이 새벽 5시 15분 전에 울었습니다. 닭이 운 시각은 몇 시 몇 분일까요?
__4시 45분__

③ 농구 경기가 1시 15분 전에 시작됐습니다. 농구 경기가 시작된 시각은 몇 시 몇 분일까요?
__12시 45분__

④ 주아는 마트에 4시 5분 전에 도착했습니다. 주아가 마트에 도착한 시각은 몇 시 몇 분일까요?
__3시 55분__

정답

P 24 ~ 25

3일 시간

시각과 시각 사이의 간격을 시간이라고 해. 1시간은 60분이야.

밑줄 친 곳에 알맞은 수를 써넣으세요.

3시간은 **180** 분입니다.
1시간 = 60분 → 3시간 = 60 + 60 + 60 = 180(분)

① 4시간은 **240** 분입니다.

② 120분은 **2** 시간입니다.

③ 2시간 30분은 **150** 분입니다.

④ 3시간 15분은 **195** 분입니다.

⑤ 100분은 **1** 시간 **40** 분입니다.

⑥ 235분은 **3** 시간 **55** 분입니다.

다음 물음에 답하세요.

진구는 2시간 20분 동안 영화를 보았습니다. 진구가 영화를 본 시간은 몇 분일까요?
60 + 60 + 20 = 140(분)
140분

① 모래가 다 떨어지는 데 1시간 15분이 걸리는 모래시계가 있습니다. 모래시계의 모래가 다 떨어지는 데 걸리는 시간은 몇 분일까요?
75분

② 세람이는 친구와 함께 155분 동안 쇼핑을 했습니다. 세람이가 쇼핑을 한 시간은 몇 시간 몇 분일까요?
2시간 35분

③ 서울에서 대전까지 버스로 2시간 5분이 걸립니다. 서울에서 대전까지 버스로 걸리는 시간은 몇 분일까요?
125분

④ 창주가 마라톤 대회에서 190분 동안 달렸습니다. 창주가 달린 시간은 몇 시간 몇 분일까요?
3시간 10분

24 B4-길이와 시간
2주: 시각과 시간(1) 25

P 26 ~ 27

4일 하루의 시간

하루는 24시간이야. 정오를 기준으로 오전과 오후로 나누어져.

밑줄 친 곳에 알맞은 수를 써넣으세요.

2일은 **48** 시간입니다.
1일 = 24시간 → 2일 = 24 + 24 = 48(시간)

① 4일은 **96** 시간입니다.

② 72시간은 **3** 일입니다.

③ 3일 8시간은 **80** 시간입니다.

④ 1일 12시간은 **36** 시간입니다.

⑤ 45시간은 **1** 일 **21** 시간입니다.

⑥ 59시간은 **2** 일 **11** 시간입니다.

다음 물음에 답하세요.

명우네 가족은 54시간 동안 캠핑을 다녀왔습니다. 명우네 가족이 캠핑을 다녀온 시간은 며칠 몇 시간일까요?
54 = 24 + 24 + 6 → 2일 6시간
2일 6시간

① 수빈이가 수박씨를 심은 지 75시간이 지났습니다. 수빈이가 수박씨를 심은 시각은 며칠 몇 시간 전일까요?
3일 3시간

② 심해에 사는 어떤 고래는 1일 10시간 동안 잠수할 수 있다고 합니다. 고래가 잠수할 수 있는 시간은 몇 시간일까요?
34시간

③ 비행기를 타고 지구를 한 바퀴 돌아오는 데 2일 15시간이 걸렸습니다. 지구를 한 바퀴 돌아오는 데 걸린 시간은 몇 시간일까요?
63시간

④ 80시간 전에 강아지가 태어났습니다. 강아지가 태어난 시각은 며칠 몇 시간 전일까요?
3일 8시간

26 B4-길이와 시간
2주: 시각과 시간(1) 27

정답 **7**

P 28 ~ 29

5일 시간 순서

시각을 나타내는 수의 크기 순서로 시간 순서를 정하면 돼.

같은 날 오후의 시각입니다. 시간 순서대로 시각을 써넣으세요.

2시 25분   1시 45분   12시 30분

| 12시 30분 | 1시 45분 | 2시 25분 |

①

| 4시 40분 | 6시 55분 | 8시 |

②

| 9시 45분 | 10시 55분 | 11시 30분 |

다음 물음에 답하세요.

마음이는 학교에 오전 9시 5분에 도착했고, 우상이는 오전 8시 45분에 도착했습니다. 마음이와 우상이 중 학교에 먼저 도착한 사람은 누구일까요?

우상이는 9시 전에 도착했고, 마음이는 9시가 지나서 도착했어.

우상

① 햇님반은 오후 3시 5분에 수업을 마쳤고, 달님반은 오후 3시 10분 전에 수업을 마쳤습니다. 두 반 중 수업을 더 늦게 마친 반은 어느 반일까요?

햇님반

② 1번 스쿨버스가 오후 12시 30분에 출발했고, 2번 스쿨버스가 오후 1시 15분 전에 출발했고, 3번 스쿨버스가 오후 1시 10분에 출발했습니다. 가장 늦게 출발한 스쿨버스는 몇 번일까요?

3번

③ 도준이는 월요일에 오전 6시 35분에 일어났고, 화요일에 오전 7시 5분 전에 일어났고, 수요일에 오전 6시 50분에 일어났습니다. 3일 중 도준이가 가장 일찍 일어난 날은 무슨 요일일까요?

월요일

P 30 ~ 31

확인학습

시계를 보고 밑줄 친 곳에 알맞은 시각을 써넣으세요.

①

미용실에 간 시각은 _____11시 15분_____ 입니다.

②

_____12시 20분_____ 에 강아지와 산책을 하였습니다.

다음 물음에 답하세요.

③ 자혜는 8시 15분 전에 시작하는 영화를 보러 갔습니다. 영화가 시작하는 시각은 몇 시 몇 분일까요?

7시 45분

④ 공원에서 매일 3시 10분 전에 분수 공연을 시작합니다. 분수 공연이 시작되는 시각은 몇 시 몇 분일까요?

2시 50분

다음 물음에 답하세요.

⑤ 동우는 95분 동안 강아지 산책을 시켰습니다. 동우가 강아지 산책을 시킨 시간은 몇 시간 몇 분일까요?

1시간 35분

⑥ 관악산 정상까지 걸어서 2시간 45분이 걸렸습니다. 관악산 정상까지 걸어서 걸리는 시간은 몇 분일까요?

165분

다음 물음에 답하세요.

⑦ 해상 구조 자격증을 따려면 52시간 동안 교육에 참석해야 합니다. 교육에 참석해야 하는 시간은 며칠 몇 시간일까요?

2일 4시간

⑧ 예진이는 소설책 전집을 다 읽는 데 3일 5시간이 걸렸습니다. 소설책 전집을 다 읽는 데 걸린 시간은 몇 시간일까요?

77시간

P 32

확인학습

✎ 다음 물음에 답하세요.

⑨ 광주로 가는 고속 열차는 오전 11시 25분에 출발했고, 부산으로 가는 고속 열차는 오후 1시 10분에 출발했습니다. 두 열차 중 늦게 출발한 것은 어디로 가는 열차일까요?

부산

⑩ 연희는 숙제를 오후 5시 55분에 끝냈고, 동건이는 오후 6시 15분 전에 끝냈습니다. 두 사람 중 숙제를 먼저 끝낸 사람은 누구일까요?

동건

⑪ 5월 1일에는 해가 오전 6시 5분 전에 떴고, 6월 1일에는 해가 오전 6시 15분 전에 떴고, 7월 1일에는 해가 오전 5시 40분에 떴습니다. 세 날 중 해가 가장 먼저 뜬 날은 몇 월 며칠일까요?

7월 1일

⑫ 마라톤 대회에서 민진이는 오후 2시 35분에 골인하였고, 승혜는 오후 3시 15분 전에 골인하였고, 수련이는 오후 3시 10분에 골인하였습니다. 세 사람 중 가장 늦게 골인한 사람은 누구일까요?

수련

시각과 시간(2)

3주

P 34 ~ 35

1일 시간의 합과 차

> 시간의 합과 차를 구할 때는 시간과 분을 따로 계산해.

❋ 주어진 두 시간의 합과 차를 각각 구하세요.

1시간 10분

	1	시간	10	분
+	2	시간	25	분
	3	시간	35	분

1 + 2 = 3 10 + 25 = 35

2시간 25분

	2	시간	25	분
−	1	시간	10	분
	1	시간	15	분

2 − 1 = 1 25 − 10 = 15

① | 4시간 35분 |
|---|

	4	시간	35	분
+	2	시간	15	분
	6	시간	50	분

2시간 15분

	4	시간	35	분
−	2	시간	15	분
	2	시간	20	분

② | 3시간 5분 |
|---|

	3	시간	5	분
+	5	시간	50	분
	8	시간	55	분

5시간 50분

	5	시간	50	분
−	3	시간	5	분
	2	시간	45	분

❋ 알맞은 식을 쓰고 답을 구하세요.

연담이는 1시간 40분짜리 코미디 영화를 본 후, 바로 이어서 2시간 10분짜리 만화 영화를 보았습니다. 연담이가 영화를 본 시간은 모두 몇 시간 몇 분일까요?

식 :
	1	시간	40	분
+	2	시간	10	분
	3	시간	50	분

답 : __3시간 50분__

① 고속 열차가 서울에서 대전까지 75분 걸렸고, 대전에서 부산까지 1시간 30분 걸렸습니다. 고속 열차가 서울에서 부산까지 걸린 시간은 몇 시간 몇 분일까요?

식 :
	1	시간	15	분
+	1	시간	30	분
	2	시간	45	분

답 : __2시간 45분__

② 집에서 박물관까지 가는 데 걸리는 시간은 2시간 35분이고, 집에서 수영장까지 가는 데 걸리는 시간은 2시간 10분입니다. 박물관까지 가는 시간은 수영장까지 가는 시간보다 몇 분 더 걸릴까요?

식 :
	2	시간	35	분
−	2	시간	10	분
			25	분

답 : __25분__

34 B4-길이와 시간

3주: 시각과 시간(2) **35**

P 36 ~ 37

2일 (시각)-(시각)=(시간)

> 어떤 두 시각 사이의 시간을 구하는 상황의 문제야.

🕐 두 시각 사이의 시간을 구하세요.

오후 3시 30분부터 오후 4시 50분까지의 시간은 몇 시간 몇 분일까요?

식 :
	4	시	50	분
−	3	시	30	분
	1	시간	20	분

답 : __1시간 20분__

4 − 3 = 1 50 − 30 = 20

① 오전 9시 15분부터 오전 11시 45분까지의 시간은 몇 시간 몇 분일까요?

식 :
	11	시	45	분
−	9	시	15	분
	2	시간	30	분

답 : __2시간 30분__

② 오후 5시부터 오후 8시 50분까지의 시간은 몇 시간 몇 분일까요?

식 :
	8	시	50	분
−	5	시		
	3	시간	50	분

답 : __3시간 50분__

🕐 알맞은 식을 쓰고 답을 구하세요.

우영이는 오후 5시 10분에 집을 나서서 산책을 하고, 오후 7시 20분에 집에 돌아왔습니다. 우영이가 산책을 한 시간은 몇 시간 몇 분일까요?

식 :
	7	시	20	분
−	5	시	10	분
	2	시간	10	분

답 : __2시간 10분__

① 선아는 자전거를 타고 집에서 오전 8시 35분에 출발하여 한강에 오전 10시 50분에 도착했습니다. 선아가 집에서 한강까지 걸린 시간은 몇 시간 몇 분일까요?

식 :
	10	시	50	분
−	8	시	35	분
	2	시간	15	분

답 : __2시간 15분__

② 강아지가 오후 3시에 잠이 들어서 오후 6시 40분에 깼습니다. 강아지가 잠을 잔 시간은 몇 시간 몇 분일까요?

식 :
	6	시	40	분
−	3	시		
	3	시간	40	분

답 : __3시간 40분__

36 B4-길이와 시간

3주: 시각과 시간(2) **37**

P 38 ~ 39

3일 (시각)+(시간)=(시각)

어떤 시각에서 얼마의 시간이 흐른 시각을 구하는 거야.

🐝 알맞은 식을 쓰고 시각을 구하세요.

오전 6시에서 3시간 40분 후의 시각은 오전 몇 시 몇 분일까요?

식 :
```
    6   시
+   3   시간 40 분
    9   시  40 분
```
6 + 3 = 9   0 + 40 = 40

답 : __9시 40분__

① 오후 1시 15분에서 2시간 10분 후의 시각은 오후 몇 시 몇 분일까요?

식 :
```
    1   시  15 분
+   2   시간 10 분
    3   시  25 분
```
답 : __3시 25분__

② 오후 7시 55분에서 4시간 후의 시각은 오후 몇 시 몇 분일까요?

식 :
```
    7   시  55 분
+   4   시간
   11   시  55 분
```
답 : __11시 55분__

🐝 알맞은 식을 쓰고 답을 구하세요.

동하는 오전 7시 30분부터 수영을 시작해서 1시간 10분 동안 수영을 했습니다. 동하가 수영을 끝낸 시각은 오전 몇 시 몇 분일까요?

식 :
```
    7   시  30 분
+   1   시간 10 분
    8   시  40 분
```
답 : __8시 40분__

① 버스가 오후 2시 25분에 출발해서 2시간 30분 후에 목적지에 도착했습니다. 버스가 목적지에 도착한 시각은 오후 몇 시 몇 분일까요?

식 :
```
    2   시  25 분
+   2   시간 30 분
    4   시  55 분
```
답 : __4시 55분__

③ 주하는 오후 4시에 학원에 가서 1시간 50분 동안 공부하고 학원을 나섰습니다. 주하가 학원을 나선 시각은 오후 몇 시 몇 분일까요?

식 :
```
    4   시
+   1   시간 50 분
    5   시  50 분
```
답 : __5시 50분__

P 40 ~ 41

4일 (시각)-(시간)=(시각)

어떤 시각에서 얼마의 시간 전의 시각을 구하는 상황이지.

🐝 알맞은 식을 쓰고 시각을 구하세요.

오후 7시 45분에서 3시간 전의 시각은 오후 몇 시 몇 분일까요?

식 :
```
    7   시  45 분
-   3   시간
    4   시  45 분
```
7 - 3 = 4   45 - 0 = 45

답 : __4시 45분__

① 오전 11시 20분에서 1시간 15분 전의 시각은 오전 몇 시 몇 분일까요?

식 :
```
   11   시  20 분
-   1   시간 15 분
   10   시   5 분
```
답 : __10시 5분__

② 오후 5시 50분에서 4시간 30분 전의 시각은 오후 몇 시 몇 분일까요?

식 :
```
    5   시  50 분
-   4   시간 30 분
    1   시  20 분
```
답 : __1시 20분__

🐝 알맞은 식을 쓰고 답을 구하세요.

대전에서 서울로 가는 열차가 1시간 50분을 달려서 서울에 오후 4시 50분에 도착하였습니다. 열차가 대전에서 출발한 시각은 오후 몇 시 몇 분일까요?

식 :
```
    4   시  50 분
-   1   시간 50 분
    3   시
```
답 : __3시__

① 양수가 목욕을 1시간 10분 동안 하고 오전 11시 20분에 목욕을 끝냈습니다. 양수가 목욕을 시작한 시각은 오전 몇 시 몇 분일까요?

식 :
```
   11   시  20 분
-   1   시간 10 분
   10   시  10 분
```
답 : __10시 10분__

② 기창이는 텔레비전을 2시간 동안 보고 오후 3시 5분에 텔레비전 시청을 끝냈습니다. 기창이가 텔레비전 시청을 시작한 시각은 오후 몇 시 몇 분일까요?

식 :
```
    3   시   5 분
-   2   시간
    1   시   5 분
```
답 : __1시 5분__

3주 시각과 시간(2)

P 42 ~ 43

5일 날짜와 시각

> 하루는 24시간인 것을 생각하면서 날짜, 시각, 시간을 구해 봐.

❀ 알맞은 식을 쓰고 시간을 구하세요.

회정이네 학교 학생들은 8월 2일 오전 9시부터 8월 4일 오전 11시까지 수련회를 다녀왔습니다. 학생들이 수련회를 다녀온 시간은 며칠 몇 시간일까요?

식 :
```
    4 일 11 시
  - 2 일  9 시
    2 일  2 시간
  4 - 2 = 2   11 - 9 = 2
```
답 : **2일 2시간**

① 영지네 가족은 1월 4일 오전 7시부터 1월 9일 오전 10시까지 여행을 다녀왔습니다. 영지네 가족이 여행을 다녀온 시간은 며칠 몇 시간일까요?

식 :
```
    9 일 10 시
  - 4 일  7 시
    5 일  3 시간
```
답 : **5일 3시간**

② 비행기가 4월 2일 오후 1시에 공항을 떠나서 4월 3일 오후 5시에 목적지에 도착하였습니다. 비행기가 비행한 시간은 몇 시간일까요?

식 :
```
    3 일 5 시
  - 2 일 1 시
    1 일 4 시간
```
답 : **28시간**

❀ 알맞은 식을 쓰고 날짜와 시각을 구하세요.

민재는 11월 7일 오전 9시에 여행을 떠나서 26시간 후에 집에 돌아왔습니다. 민재가 집에 돌아온 날짜와 시각을 구하세요.

식 :
```
    7 일 9 시
  + 1 일 2 시간
    8 일 11 시
  26시간 = 1일 2시간
```
답 : **11월 8일 오전 11시**

① 명은이는 체험학습으로 2일 5시간 동안 집을 떠나있다가 5월 5일 오후 8시에 집에 돌아왔습니다. 명은이가 체험학습을 떠난 날짜와 시각을 구하세요.

식 :
```
    5 일 8 시
  - 2 일 5 시간
    3 일 3 시
```
답 : **5월 3일 오후 3시**

② 지원이의 동생은 1월 6일 오전 3시에 태어나 태어난 지 55시간 만에 출생 신고를 하였습니다. 출생 신고를 한 날짜와 시각을 구하세요.

식 :
```
    6 일 3 시
  + 2 일 7 시간
    8 일 10 시
```
답 : **1월 8일 오전 10시**

P 44 ~ 45

확인학습

✎ 알맞은 식을 쓰고 답을 구하세요.

① 숙제를 하는 데 경수는 3시간 30분이 걸렸고, 경현이는 85분이 걸렸습니다. 경수가 숙제를 하는 데 걸린 시간은 경현이보다 몇 시간 몇 분 더 걸렸을까요?

식 :
```
    3 시간 30 분
  - 1 시간 25 분
    2 시간  5 분
```
답 : **2시간 5분**

② 학교에서 마트까지 걸어서 45분이 걸리고, 마트에서 집까지 걸어서 1시간 10분이 걸립니다. 학교에서 마트를 거쳐 집까지 걸어서 가는 데 걸리는 시간은 몇 시간 몇 분일까요?

식 :
```
         45 분
  + 1 시간 10 분
    1 시간 55 분
```
답 : **1시간 55분**

③ 우찬이는 토요일에 6시간 20분을 잤고, 일요일에 8시간 40분을 잤습니다. 우찬이가 일요일에 잔 시간은 토요일보다 몇 시간 몇 분 더 많을까요?

식 :
```
    8 시간 40 분
  - 6 시간 20 분
    2 시간 20 분
```
답 : **2시간 20분**

✎ 알맞은 식을 쓰고 답을 구하세요.

④ 야구 경기가 오후 2시 10분에 시작하여 오후 5시 35분에 끝났습니다. 야구 경기를 한 시간은 몇 시간 몇 분일까요?

식 :
```
    5 시 35 분
  - 2 시 10 분
    3 시간 25 분
```
답 : **3시간 25분**

⑤ 공연장에서 아이돌 가수의 공연이 2시간 40분 동안 열려서 오후 8시 55분에 끝났습니다. 아이돌 가수의 공연이 시작된 시각은 오후 몇 시 몇 분일까요?

식 :
```
    8 시 55 분
  - 2 시간 40 분
    6 시 15 분
```
답 : **6시 15분**

⑥ 은하는 오후 3시 20분에 수학 숙제를 시작해서 1시간 15분 만에 숙제를 끝냈습니다. 은하가 수학 숙제를 끝낸 시각은 오후 몇 시 몇 분일까요?

식 :
```
    3 시 20 분
  + 1 시간 15 분
    4 시 35 분
```
답 : **4시 35분**

P 46

확인학습

✎ 알맞은 식을 쓰고 답을 구하세요.

⑦ 강아지가 3월 4일 오전 4시에 태어나서 3월 9일 오전 11시에 눈을 떴습니다. 강아지가 태어나서 눈을 뜨는 데까지 걸린 시간은 며칠 몇 시간일까요?

	9 일	11 시
−	4 일	4 시
	5 일	7 시간

식 :　　　　　답 : ___5일 7시간___

⑧ 무역선이 항구를 떠난 지 5일 1시간만인 6월 11일 오후 4시에 항구로 돌아왔습니다. 무역선이 항구를 떠난 날짜와 시각을 구하세요.

	11 일	4 시
−	5 일	1 시간
	6 일	3 시

식 :　　　　　답 : ___6월 6일 오후 3시___

⑨ 명수네 가족은 9월 1일 오전 7시에 캠핑을 떠나서 26시간 후에 집에 돌아왔습니다. 명수네 가족이 집에 돌아온 날짜와 시각을 구하세요.

	1 일	7 시
+	1 일	2 시간
	2 일	9 시

식 :　　　　　답 : ___9월 2일 오전 9시___

P 48 ~ 49

1일 1주일은 7일

🌸 밑줄 친 곳에 알맞은 수를 써넣으세요.

3주일은 __21__ 일입니다.
1주일 = 7일 ➔ 3주일 = 7 × 3 = 21(일)

① 4주일은 __28__ 일입니다.

② 14일은 __2__ 주일입니다.

③ 1주일 3일은 __10__ 일입니다.

④ 3주일 4일은 __25__ 일입니다.

⑤ 31일은 __4__ 주일 __3__ 일입니다.

⑥ 60일은 __8__ 주일 __4__ 일입니다.

🌸 다음 물음에 답하세요.

1주일은 일, 월, 화, 수, 목, 금, 토요일의 7일로 되어 있어.

아기 고양이가 태어난 지 30일이 지났습니다. 아기 고양이가 태어난 날은 몇 주일 며칠 전일까요?
30 = 7 + 7 + 7 + 2 ➔ 4주일 2일

__4주일 2일__

① 민주네 초등학교는 34일 동안 여름방학입니다. 민주네 초등학교의 여름 방학은 몇 주일 며칠일까요?

__4주일 6일__

② 유조선이 63일 동안 바다를 항해했습니다. 유조선이 바다를 항해한 기간은 몇 주일일까요?

__9주일__

③ 우진이는 5주일 3일 뒤에 가족 여행을 갑니다. 우진이가 가족 여행을 가는 것은 며칠 뒤일까요?

__38일__

④ 미연이네 가족은 44일 전에 동네로 이사왔습니다. 미연이네 가족이 이사 온 것은 몇 주일 며칠 전일까요?

__6주일 2일__

P 50 ~ 51

2일 1년은 12개월

🌸 밑줄 친 곳에 알맞은 수를 써넣으세요.

3년은 __36__ 개월입니다.
1년 = 12개월 ➔ 3년 = 12 + 12 + 12 = 36(개월)

① 5년은 __60__ 개월입니다.

② 48개월은 __4__ 년입니다.

③ 1년 6개월은 __18__ 개월입니다.

④ 27개월은 __2__ 년 __3__ 개월입니다.

⑤ 날수가 28일 또는 29일인 달은 __2__ 월입니다.

⑥ 날수가 30일인 달은 __4__ 월, __6__ 월, __9__ 월, __11__ 월입니다.

🌸 다음 물음에 답하세요.

1년 중 1월, 3월, 5월, 7월, 8월, 10월, 12월은 31일까지 있어.

태형이는 지금 살고 있는 아파트로 이사 온 지 38개월이 지났습니다. 태형이가 이사 온 것은 몇 년 몇 개월 전일까요?
38 = 12 + 12 + 12 + 2 ➔ 3년 2개월

__3년 2개월__

① 진우의 엄마는 2년 동안 적금을 넣었습니다. 진우의 엄마가 적금을 넣은 기간은 몇 개월일까요?

__24개월__

② 수아는 이번 달에 초등학교에 입학한 지 20개월이 되었습니다. 수아가 입학한 것은 몇 년 몇 개월 전일까요?

__1년 8개월__

③ 초이의 삼촌은 3년 3개월 동안 세계 여행을 다녀왔습니다. 초이의 삼촌이 세계 여행을 다녀온 기간은 몇 개월일까요?

__39개월__

④ 미연이네 고양이 아토가 태어난 지 4년 5개월이 되었습니다. 아토가 태어난 것은 몇 개월 전일까요?

__53개월__

P 52 ~ 53

3일 무슨 요일일까요?

요일은 7일에 한 번씩 되풀이되면서 나오는 규칙이야.

🐚 어느 해 1월 달력의 일부입니다. 물음에 답하세요.

일	월	화	수	목	금	토
				1	2	3	4
5	6	7	8			

1월 9일은 무슨 요일일까요?

1월 8일이 수요일이니까 1월 9일은 목요일이야.

목요일

① 1월 8일에서 3주일 후는 무슨 요일일까요?

수요일

② 1월의 마지막 날은 무슨 요일일까요?

금요일

③ 1월에 일요일은 모두 몇 번 있을까요?

4번

🐚 다음 물음에 답하세요.

완구 박람회가 10월 13일 월요일부터 5일 동안 열립니다. 완구 박람회가 끝나는 날은 무슨 요일일까요?

월 화 수 목 금

금요일

① 5월 5일 어린이날은 일요일이고, 주완이의 생일은 어린이날에서 11일 후입니다. 주완이의 생일은 무슨 요일일까요?

목요일

② 9월의 마지막 날은 화요일입니다. 9월에 수요일은 모두 몇 번 있을까요?

4번

③ 7월 1일은 수요일입니다. 7월에 금요일은 모두 몇 번 있을까요?

5번

P 54 ~ 55

4일 몇 월 며칠일까요?

며칠때 낳은 O일때 날에서 D일 후야. 실수하기 쉬워.

🐚 어느 해 4월 달력의 일부입니다. 물음에 답하세요.

일	월	화	수	목	금	토
	1	2	3	4	5	6

4월의 첫째 일요일은 몇 월 며칠일까요?

4월 6일이 토요일이니까 4월 7일은 일요일이야.

4월 7일

① 4월 2일에서 10일 후는 몇 월 며칠일까요?

4월 12일

② 4월 9일에서 2주일 후는 몇 월 며칠일까요?

4월 23일

③ 4월의 마지막 수요일은 몇 월 며칠일까요?

4월 24일

🐚 다음 물음에 답하세요.

진영이의 생일은 6월 6일 현충일에서 3주 후입니다. 진영이의 생일은 몇 월 며칠일까요?

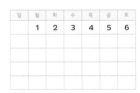
1주 2주 3주

6월 27일

① 광복절인 8월 15일은 월요일이고, 방학이 끝나는 날은 8월 마지막 일요일입니다. 방학이 끝나는 날은 몇 월 며칠일까요?

8월 28일

② 1월 1일은 목요일입니다. 시은이와 세람이는 1월 셋째 금요일에 만나기로 했습니다. 시은이와 세람이가 만나는 날은 몇 월 며칠일까요?

1월 16일

③ 가은이는 매일 피아노 학원에 다녔는데 3월 마지막 날이 피아노 학원에 다닌 지 17째 되는 날입니다. 가은이가 피아노 학원에 다니기 시작한 날은 몇 월 며칠일까요?

3월 15일

P 56 ~ 57

5일 달력 문제 종합

다음 물음에 답하세요.

제헌절인 7월 17일은 토요일입니다. 같은 해의 8월 15일 광복절은 무슨 요일일까요?

토	일
17	
24	
31	1
	8
	15

일요일

① 11월 1일은 일요일입니다. 지연이는 12월 5일에 친구들과 파티를 열기로 했습니다. 지연이가 파티를 여는 날은 무슨 요일일까요?

토요일

② 7월 15일은 수아네 강아지가 태어난 지 40일째 되는 날입니다. 수아네 강아지가 태어난 날은 몇 월 며칠일까요?

6월 6일

③ 어버이날인 5월 8일에서 25일 후는 엄마의 생신입니다. 엄마의 생신은 몇 월 며칠일까요?

6월 2일

④ 어느 해 1월의 첫째 날은 수요일입니다. 같은 해 2월의 셋째 수요일은 몇 월 며칠일까요?

2월 19일

⑤ 여름 방학이 시작되는 날은 수요일이고, 37일 동안 방학이 이어집니다. 2학기가 시작되는 날은 무슨 요일일까요?

금요일

⑥ 4월 5일 식목일은 금요일입니다. 한경이의 생일은 5월 둘째 일요일입니다. 한경이의 생일은 몇 월 며칠일까요?

5월 12일

⑦ 오늘은 목요일입니다. 37일 전에 민수는 박물관에 갔습니다. 민수가 박물관에 간 날은 무슨 요일일까요?

화요일

P 58 ~ 59

확인학습

다음 물음에 답하세요.

① 시경이가 친구들과 35일 동안 영화를 찍었습니다. 시경이가 영화를 찍은 기간은 몇 주일일까요?

5주일

② 기혁이의 동생이 태어난 지 3주일 5일이 되었습니다. 기혁이의 동생이 태어난 것은 며칠 전일까요?

26일

다음 물음에 답하세요.

③ 수혁이는 태어난 지 60개월 만에 한글을 깨쳤습니다. 수혁이가 한글을 깨친 것은 태어난 지 몇 년 후일까요?

5년

④ 태양 주위를 5년 5개월마다 한 바퀴씩 도는 혜성이 있습니다. 이 혜성이 태양 주위를 한 바퀴 도는 데 걸리는 기간은 몇 개월일까요?

65개월

어느 해 8월 달력의 일부입니다. 물음에 답하세요.

일	월	화	수	목	금	토
1	2	3				

⑤ 8월 7일은 무슨 요일일까요?

토요일

⑥ 광복절인 8월 15일에서 1주일 전은 몇 월 며칠일까요?

8월 8일

⑦ 8월 3일에서 10일 후는 무슨 요일일까요?

금요일

⑧ 같은 해 9월의 첫째 수요일은 몇 월 며칠일까요?

9월 1일

P 60

확인학습

✎ 다음 물음에 답하세요.

⑨ 어느 해의 식목일인 4월 5일은 월요일입니다. 같은 해의 어린이날인 5월 5일은 무슨 요일일까요?

<u>수요일</u>

⑩ 경진이는 매주 화요일과 목요일에 학원에 갑니다. 7월 23일 목요일은 경진이가 학원에 8번째 간 날입니다. 경진이가 학원에 처음 간 날은 몇 월 며칠일까요?

<u>6월 30일</u>

⑪ 수일이의 생일은 화요일이고, 한영이의 생일은 수일이의 생일에서 36일 후입니다. 한영이의 생일은 무슨 요일일까요?

<u>수요일</u>

⑫ 3월 6일은 토요일입니다. 수혁이는 4월 마지막 월요일에 수학 시험을 보기로 했습니다. 수혁이가 수학 시험을 보는 날은 몇 월 며칠일까요?

<u>4월 26일</u>

P62 ~ 63

✎ 다음 물음에 답하세요.

① 나무의 높이는 2 m보다 75 cm 더 높습니다. 나무의 높이는 몇 m 몇 cm 일까요?

2 m 75 cm

② 방의 너비는 길이가 100 cm인 막대로 재면 5번입니다. 방의 너비는 몇 cm일까요?

500 cm

✎ 다음 물음에 답하세요.

③ 지연이는 오후 1시 15분 전에 점심을 다 먹었고, 경아는 오후 12시 50분에 점심을 다 먹었습니다. 두 사람 중 점심을 더 빨리 먹은 사람은 누구일까요?

지연

④ 세 친구가 공원에서 만나기로 했습니다. 현우는 오후 3시 30분에 도착했고, 기흥이는 오후 3시 55분에 도착했고, 선빈이는 오후 4시 10분 전에 도착했습니다. 공원에 가장 늦게 도착한 사람은 누구일까요?

기흥

✎ 알맞은 식을 쓰고 답을 구하세요.

⑤ 유라는 낮잠을 2시간 10분 동안 자고 오후 3시 30분에 깼습니다. 유라가 낮잠을 자기 시작한 시각은 오후 몇 시 몇 분일까요?

식:
$$\begin{array}{r} 3\ \text{시}\ 30\ \text{분} \\ -\ 2\ \text{시간}\ 10\ \text{분} \\ \hline 1\ \text{시}\ 20\ \text{분} \end{array}$$
답: **1시 20분**

⑥ 태경이는 친구와 만나서 3시간 25분 동안 놀고 오전 11시 35분에 헤어졌습니다. 태경이가 친구와 만난 시각은 오전 몇 시 몇 분일까요?

식:
$$\begin{array}{r} 11\ \text{시}\ 35\ \text{분} \\ -\ 3\ \text{시간}\ 25\ \text{분} \\ \hline 8\ \text{시}\ 10\ \text{분} \end{array}$$
답: **8시 10분**

✎ 다음 물음에 답하세요.

⑦ 8월 3일 월요일부터 20일 동안 해수욕장이 열립니다. 해수욕장이 열리는 마지막 날은 무슨 요일일까요?

토요일

⑧ 4월 15일은 토요일입니다. 4월에 월요일은 모두 몇 번 있을까요?

4번

P 64 ~ 65

✎ 알맞은 길이를 골라 밑줄 친 곳에 써넣으세요.

| 1800 m | 1 m 80 cm | 18 m |

① 상가 건물의 높이는 약 **18 m** 입니다.

② 아빠의 키는 약 **1 m 80 cm** 입니다.

③ 국립공원에 있는 산의 높이는 약 **1800 m** 입니다.

✎ 시계를 보고 밑줄 친 곳에 알맞은 시각을 써넣으세요.

④   **1시 25분** 에 수학 공부를 했습니다.

⑤   잠자리에 든 시각은 **9시 45분** 입니다.

✎ 알맞은 식을 쓰고 답을 구하세요.

⑥ 상현이는 7월 7일 오후 2시부터 7월 9일 오후 8시까지 외갓집에 다녀왔습니다. 상현이가 외갓집에 다녀온 시간은 몇 시간일까요?

식:
$$\begin{array}{r} 9\ \text{일}\ 8\ \text{시} \\ -\ 7\ \text{일}\ 2\ \text{시} \\ \hline 2\ \text{일}\ 6\ \text{시} \end{array}$$
답: **54시간**

⑦ 4월 5일 오후 3시에 콩을 심었는데 53시간 뒤에 싹이 났습니다. 콩의 싹이 난 날짜와 시각을 구하세요.

식:
$$\begin{array}{r} 5\ \text{일}\ 3\ \text{시} \\ +\ 2\ \text{일}\ 5\ \text{시간} \\ \hline 7\ \text{일}\ 8\ \text{시} \end{array}$$
답: **4월 7일 오후 8시**

✎ 다음 물음에 답하세요.

⑧ 상우는 친구들과 크리스마스인 12월 25일에서 3주일 전에 만나기로 했습니다. 상우가 친구들과 만나는 날은 몇 월 며칠일까요?

12월 4일

⑨ 6월의 마지막 날은 일요일입니다. 하연이는 6월의 셋째 토요일에 놀이 공원에 가기로 했습니다. 하연이가 놀이 공원에 가는 날은 몇 월 며칠일까요?

6월 15일

P 66 ~ 67

3회차 **진단평가**

✎ 알맞은 식을 쓰고 답을 구하세요.

① 초록색 테이프 173 cm와 노란색 테이프 3 m 5 cm를 서로 겹치지 않게 이어 붙이려고 합니다. 이어 붙인 테이프의 길이는 몇 m 몇 cm일까요?

식 :
```
  1 m 73 cm
+ 3 m  5 cm
  4 m 78 cm
```
답 : **4 m 78 cm**

② 식탁의 짧은 쪽 길이는 2 m 33 cm이고, 긴 쪽 길이는 짧은 쪽 길이보다 125cm가 더 깁니다. 식탁의 긴 쪽 길이는 몇 m 몇 cm일까요?

식 :
```
  2 m 33 cm
+ 1 m 25 cm
  3 m 58 cm
```
답 : **3 m 58 cm**

✎ 다음 물음에 답하세요.

③ 오늘 저녁 7시 10분 전에 해가 졌습니다. 오늘 저녁 해가 진 시각은 몇 시 몇 분일까요?

6시 50분

④ 가연이는 오후 2시 5분 전에 숙제를 끝냈습니다. 가연이가 숙제를 끝낸 시각은 몇 시 몇 분일까요?

1시 55분

✎ 알맞은 식을 쓰고 답을 구하세요.

⑤ 하니는 숙제를 하는 데 1시간 25분이 걸렸고, 책을 읽는 데 2시간 20분이 걸렸습니다. 하니가 숙제와 독서를 하는 데 걸린 시간은 모두 몇 시간 몇 분일까요?

식 :
```
  1 시간 25 분
+ 2 시간 20 분
  3 시간 45 분
```
답 : **3시간 45분**

⑥ 야구 경기는 3시간 25분 걸렸고, 축구 경기는 130분 걸렸습니다. 야구 경기는 축구 경기보다 몇 시간 몇 분 더 걸렸을까요?

식 :
```
  3 시간 25 분
- 2 시간 10 분
  1 시간 15 분
```
답 : **1시간 15분**

✎ 다음 물음에 답하세요.

⑦ 4월 30일 일요일은 로이네 가족이 이사 온 지 50일째 되는 날입니다. 로이네 가족이 이사 온 날은 무슨 요일일까요?

일요일

⑧ 어느 해 11월의 셋째 금요일은 11월 18일입니다. 같은 해 12월의 마지막 월요일은 몇 월 며칠일까요?

12월 26일

P 68 ~ 69

4회차 **진단평가**

✎ 알맞은 식을 쓰고 답을 구하세요.

① 침대의 긴 쪽 길이는 2 m 59 cm이고, 짧은 쪽 길이는 긴 쪽 길이보다 53 cm 더 짧습니다. 침대의 짧은 쪽 길이는 몇 m 몇 cm일까요?

식 :
```
  2 m 59 cm
-      53 cm
  2 m  6 cm
```
답 : **2 m 6 cm**

② 길이가 6 m 85 cm인 노끈 중 352 cm를 끊어 사용했습니다. 남은 노끈의 길이는 몇 m 몇 cm일까요?

식 :
```
  6 m 85 cm
- 3 m 52 cm
  3 m 33 cm
```
답 : **3 m 33 cm**

✎ 다음 물음에 답하세요.

③ 부산에서 서울까지 고속 열차로 2시간 30분이 걸립니다. 부산에서 서울까지 고속 열차로 걸리는 시간은 몇 분일까요?

150분

④ 오후에 비가 225분 동안 내렸습니다. 오후에 비가 내린 시간은 몇 시간 몇 분일까요?

3시간 45분

✎ 알맞은 식을 쓰고 답을 구하세요.

⑤ 수경이는 오전 6시 25분에 체육관에 가서 오전 7시 55분까지 운동을 합니다. 수경이가 운동을 하는 시간은 몇 시간 몇 분일까요?

식 :
```
  7 시 55 분
- 6 시 25 분
  1 시간 30 분
```
답 : **1시간 30분**

⑥ 애니메이션이 오후 7시 20분에 상영을 시작하여 오후 9시 35분에 끝났습니다. 애니메이션이 상영된 시간은 몇 시간 몇 분일까요?

식 :
```
  9 시 35 분
- 7 시 20 분
  2 시간 15 분
```
답 : **2시간 15분**

✎ 다음 물음에 답하세요.

⑦ 선생님이 방학 때 15일 동안 중국에 다녀왔다고 합니다. 선생님이 중국에 다녀온 기간은 몇 주일 며칠일까요?

2주일 1일

⑧ 호진이가 도형학습지 한 권을 2주일 5일 만에 다 풀었습니다. 호진이가 도형학습지 한 권을 푸는 데 며칠이 걸렸을까요?

19일

✎ 다음 물음에 답하세요.

① 세 변의 길이가 각각 1 m 30 cm, 2 m 12 cm, 3 m 24 cm인 삼각형 모양의 땅이 있습니다. 이 땅의 둘레는 몇 m 몇 cm일까요?

답 : **6 m 66 cm**

② 높이가 7 m 96 cm인 빙하가 있습니다. 이 빙하는 지구 온난화 때문에 매년 높이가 1 m 30 cm씩 낮아진다고 합니다. 2년 뒤에 이 빙하의 높이는 몇 m 몇 cm가 될까요?

답 : **5 m 36 cm**

✎ 다음 물음에 답하세요.

③ 무역선이 항구에 38시간째 정박해 있습니다. 무역선이 정박한 시간은 며칠 몇 시간일까요?

1일 14시간

④ 구현이네 학교 학생들은 2일 12시간 동안 수련회를 다녀왔습니다. 학생들이 수련회를 다녀온 시간은 몇 시간일까요?

60시간

✎ 알맞은 식을 쓰고 답을 구하세요.

⑤ 마라톤 선수가 오전 10시 15분에 출발하여 2시간 35분을 달려서 골인 지점에 도착하였습니다. 이 선수가 골인 지점에 도착한 시각은 오후 몇 시 몇 분일까요?

식 :

	10 시	15 분
+	2 시간	35 분
	12 시	50 분

답 : 12시 50분

⑥ 달이 오후 8시 45분에 떠올라서 2시간 10분 후에 가장 높이 떠올랐습니다. 달이 가장 높이 떠오른 시각은 오후 몇 시 몇 분일까요?

식 :

	8 시	45 분
+	2 시간	10 분
	10 시	55 분

답 : 10시 55분

✎ 다음 물음에 답하세요.

⑦ 서연이의 오빠는 중학교를 3년 만에 졸업했습니다. 서연이의 오빠가 중학교를 졸업하는 데 걸린 기간은 몇 개월일까요?

36개월

⑧ 가람이가 태권도 학원에 28개월 동안 다녔습니다. 가람이가 태권도 학원에 다닌 기간은 몇 년 몇 개월일까요?

2년 4개월

"
The essence of mathematics
is its freedom.
"

"수학의 본질은 그 자유로움에 있다."

Georg Cantor, 게오르크 칸토어